NÚMEROS DE AZAR

ANNE HOLT

Editora FUNDAMENTO

2017, Editora Fundamento Educacional Ltda.

Editor e edição de texto: Editora Fundamento
Editoração eletrônica: Designios Produção Gráfica e Editorial Ltda ME (Maurélio Barbosa)
Lorena R Mariotto Edição de Livros (Bella Ventura)
CTP e impressão: SVP – Gráfica Pallotti
Tradução: Sephia Design Ltda (Amarilis Okida)
Arte da capa: Zuleika Iamashita

Copyright © Anne Holt 1994

Publicado sob licença de Salomonsson Agency.
Os direitos morais do autor foram garantidos.
Traduzido a partir da versão em inglês © 2012 Anne Bruce, publicada por Scribner, um selo da Simon L. Schuster, Inc.

Todos os direitos reservados. Nenhuma parte deste livro pode ser arquivada, reproduzida ou transmitida em qualquer forma ou por qualquer meio, seja eletrônico ou mecânico, incluindo fotocópia e gravação de backup, sem permissão escrita do proprietário dos direitos.

Dados Internacionais de Catalogação na Publicação (CIP)
(Maria Isabel Schiavon Kinasz)

H758 Holt, Anne
Números de Azar / Anne Holt; [versão brasileira da editora] – 1. ed. – São Paulo, SP : Editora Fundamento Educacional Ltda., 2017.

Título original: Blessed are those who thirst (Salige er de som tørster)

1. Romance norueguês. I Título

CDD 839.823
CDU 087.5

Índice para catálogo sistemático
1. Romances: Literatura norueguesa 839.823

Fundação Biblioteca Nacional

Depósito legal na Biblioteca Nacional, conforme Decreto nº 1.825, de dezembro de 1907.
Todos os direitos reservados no Brasil por Editora Fundamento Educacional Ltda.

Impresso no Brasil

Telefone: (41) 3015 9700
E-mail: info@editorafundamento.com.br
Site: www.editorafundamento.com.br

Este livro foi impresso em papel Lux Cream 70 g/m² e a capa em papel-cartão 250 g/m².

Para Even, meu amigo e irmão.

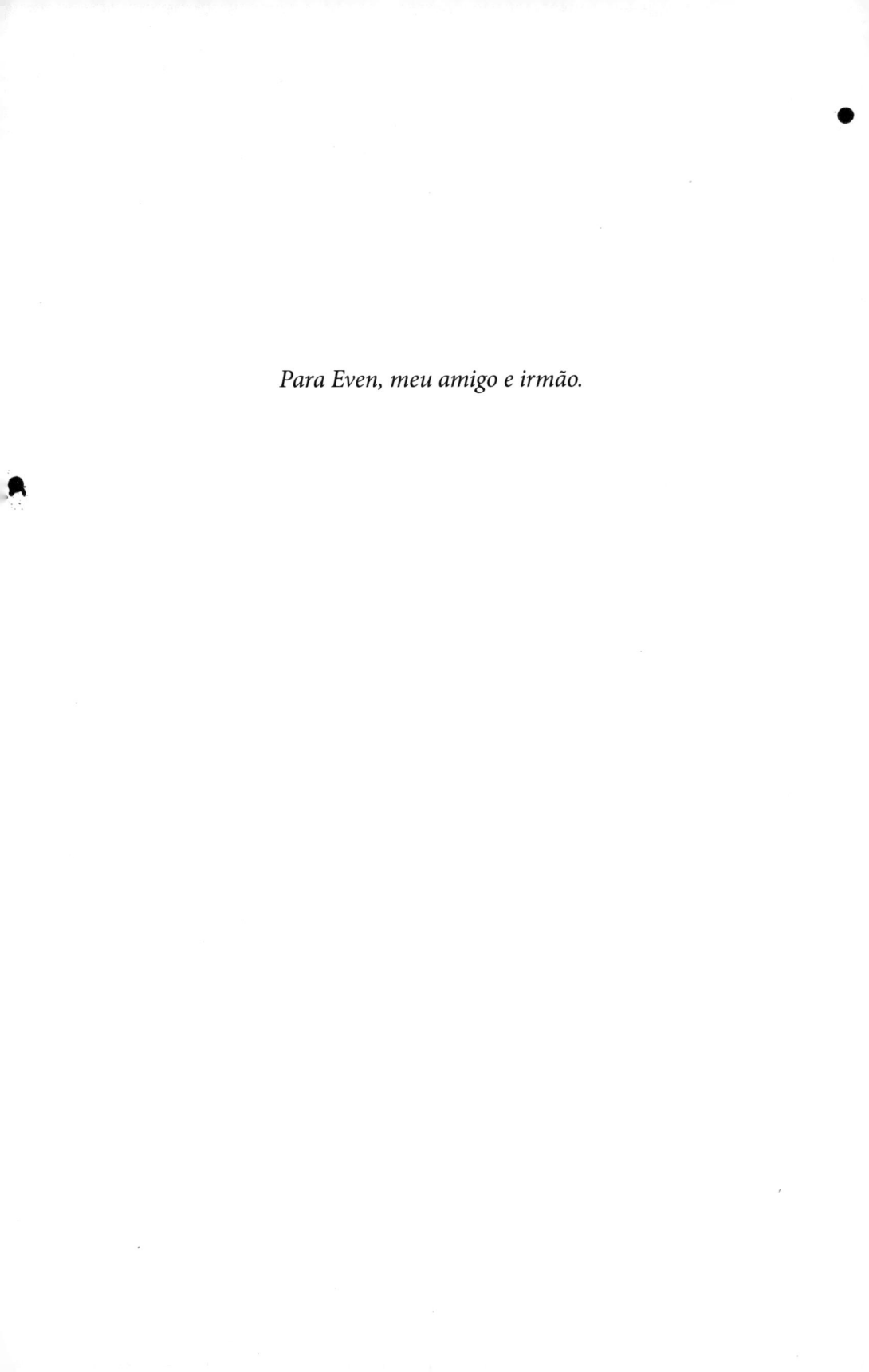

Bem-aventurados os que têm fome
e sede de justiça, porque eles
serão satisfeitos.
— Mateus 5:6

DOMINGO, 9 DE MAIO

Estava tão cedo que nem o diabo tinha pensado em calçar seus sapatos. A oeste, o firmamento exibia nuances que somente um céu escandinavo na primavera poderia oferecer, aquele azul royal no horizonte que vai ficando cada vez mais claro até se transformar em um manto cor-de-rosa a leste, onde o Sol nascia preguiçoso. O ar era revigorante, tranquilo por ser madrugada, com uma transparência fascinante, carregado do brilho das manhãs primaveris próximo do paralelo 60 Norte. Embora a temperatura estivesse amena, tudo indicava que seria mais um dia quente de maio em Oslo.

A investigadora de polícia Hanne Wilhelmsen não estava pensando no clima. Ela permanecia completamente imóvel, ponderando sobre como agir. Havia sangue por toda parte. No chão. Nas paredes. Até mesmo no teto, havia manchas que lembravam as figuras abstratas de algum tipo de teste psicológico. Ela levantou a cabeça e olhou para o borrão no teto sobre ela. Parecia um touro de cor púrpura, com três chifres e a parte traseira deformada. Ela continuou estática, um sinal de indecisão e também de receio de escorregar no chão traiçoeiro.

– Não toque aí! – ela advertiu seu colega bruscamente.

O jovem, cuja cor do cabelo combinava com o sangue, ameaçou passar o dedo em uma das paredes. Um feixe de luz atravessava uma pequena fresta no telhado em ruínas e descia em direção à parede dos fundos, onde havia tanto sangue que estava mais para uma pintura malfeita do que para um desenho.

– Saia! – ela ordenou.

Hanne suspirou, porém se conteve para não reclamar das pegadas que o policial inexperiente havia deixado pelo chão.

– E tente andar sobre as próprias pegadas ao sair.

Minutos depois ela fez o mesmo, retirando-se do recinto hesitantemente. Dirigiu-se à porta e pediu para o outro policial buscar uma lanterna.

– Eu só queria urinar – justificava-se, aflito, o homem que havia chamado a polícia.

Obedecendo à ordem que havia recebido, ele ficou aguardando do lado de fora do local ensanguentado. O homem estava tão agitado que Hanne Wilhelmsen suspeitava que ele não tinha conseguido cumprir sua missão de uma hora atrás.

– O banheiro fica ali – ele disse desnecessariamente.

O forte odor de um dos muitos sanitários externos que ainda são usados em Oslo sobrepôs-se ao cheiro adocicado e repugnante de sangue. A porta com uma marca em forma de coração ficava ao lado do sanitário.

– Bem, você já pode ir ao banheiro – a investigadora falou, tentando encorajá-lo num tom amistoso, mas ele não a ouviu.

– Eu queria urinar, entende? Mas então notei que a porta estava aberta.

O homem apontou para o painel de madeira e recuou, como se um animal medonho fosse atacá-lo a qualquer momento e devorar seu braço inteiro.

– Geralmente ela está fechada. Não trancada, só encostada. A porta é tão pesada que se abre sozinha. Nós não queremos que cães e gatos de rua se alojem aqui. Por isso somos tão cautelosos quanto a isso.

Um sorriso estranho tomou conta do rude semblante daquele senhor. Ocorreu a Hanne o pensamento de que os moradores daquela vizinhança eram zelosos mesmo naquelas condições. Ainda que estivessem perdendo a batalha para a decadência, tinham regras e mantinham a ordem.

– Eu passei a vida toda neste bairro – continuou com certo orgulho. – Percebo quando as coisas não estão do jeito como deveriam.

Ele olhou para a bela jovem que não se assemelhava a nenhum outro policial que tivesse visto, à espera de um pouco de reconhecimento.

– Bom trabalho – ela o elogiou. – Foi bom você ter nos ligado e nos comunicado o ocorrido.

Quando o homem deu a ela um largo sorriso, Hanne ficou chocada pela quantidade de dentes que faltavam em sua boca. Aquele senhor não devia ser muito velho, talvez tivesse cerca de 50 anos.

– Eu fiquei horrorizado, sabe. Todo aquele sangue...

Ele mexia a cabeça de um lado para o outro. Deparar-se com aquela visão diabólica fora terrível.

Ela compreendia isso. Seu colega ruivo retornou com a lanterna. Segurando-a com ambas as mãos, Hanne Wilhelmsen direcionou sistematicamente o feixe de luz iluminando as paredes de ponta a ponta, de cima a baixo. Ela examinou minuciosamente o teto, a partir da porta, e depois foi ziguezagueando a luz da lanterna pelo assoalho.

O lugar estava completamente vazio, exceto pela lenha e por outros artigos que indicavam que o depósito já tinha sido usado para o seu propósito original, certamente havia muito tempo. Depois de averiguar cada metro quadrado com a lanterna, ela se aventurou pelo local mais uma vez com cuidado, pisando sobre as pegadas que tinha deixado anteriormente. Fez um sinal pedindo ao seu companheiro de trabalho que não a seguisse. Bem no centro do depósito, que tinha aproximadamente 15 metros quadrados, ela se agachou. A luz surgia da parede oposta, cerca de um metro acima do chão. Da porta, ela havia notado algo, talvez letras escritas com sangue, o que tornava os símbolos difíceis de decifrar.

Não eram letras. Eram números. Oito dígitos, pelo que ela podia supor: 92043576. O algarismo 9 não estava muito claro e poderia ser um 4. O último número parecia um 6, mas ela não tinha certeza. Talvez fosse um 8. Hanne se levantou e saiu em direção à luz do dia, que agora já predominava. Ela ouviu o choro de um bebê vindo de uma janela do segundo andar e estremeceu ao pensar em crianças tendo que morar naquele lugar. Um paquistanês, vestindo um uniforme de condutor de bonde, saiu do prédio de tijolos, observando-os curiosamente ao passar apressadamente pela porta. Ela notou, pelos reflexos nas janelas mais altas, que o sol tinha finalmente mostrado sua força. Pássaros, os pequenos cinzentos que ainda tentavam prolongar uma mísera existência na parte mais central da cidade, gorjeavam pousados em uma bétula quase morta, que tentava inutilmente alcançar a luz do dia.

– Caramba, que crime sinistro! – o jovem policial comentou ao cuspir, numa tentativa frustrada de se livrar do gosto putrefato. – Algo hediondo deve ter acontecido aqui!

Ele parecia extasiado com aquilo.

–Sim, é verdade – Hanne Wilhelmsen respondeu delicadamente. – Alguma coisa séria ocorreu aqui. Mas por enquanto...

Ela fez uma pausa e se virou para o parceiro.

– Até agora o fato não se caracteriza como crime. Para tal precisamos de uma vítima. Não há vestígio algum que aponte para isso. No máximo podemos classificar o que vimos como vandalismo. Entretanto...

Ela se voltou para a porta novamente.

– É óbvio que alguma coisa deve vir à tona. Chame a perícia. É melhor recorrer a quem entende do assunto.

Ela sentiu um leve tremor. Era mais pelo pressentimento que tinha com relação ao que havia testemunhado do que pela brisa fresca da manhã. Colocando o casaco em volta do corpo, ela agradeceu ao homem desdentado mais uma vez por tê-los informado antes de retornar sozinha para a delegacia de polícia de Oslo, que ficava a 300 metros dali. Quando atravessou a rua, o sol estava a pino, e ela sentiu calor. Um tumulto de vozes femininas estrangeiras, gritos em urdu, punjabi e árabe reverberavam nos cantos das casas. O dono de um quiosque estava começando seus afazeres, preparava sua barraca na calçada para mais um dia de trabalho, abrindo seu negócio sem se preocupar com a religiosidade nem com a regulamentação do horário de funcionamento. Ele deu um sorriso branco para ela, segurando uma laranja e levantando as sobrancelhas de forma questionadora. Hanne Wilhelmsen acenou com a cabeça e retribuiu o sorriso. Um grupo de garotos de 14 anos de idade fazia algazarra com seus carrinhos azuis que utilizavam para entregar os jornais *Aftenposten*. Duas mulheres usando véu passaram apressadamente sem destino aparente, ambas de cabeça baixa. Elas desviaram da investigadora, não estavam acostumadas a ver uma mulher branca tão cedo. Se não fossem esses personagens, a rua estaria deserta. Com esse clima, até mesmo Tøyen adquiria um aspecto conciliatório, quase charmoso.

Certamente o dia prometia ser lindo.

SEGUNDA-FEIRA, 10 DE MAIO

– Por que diabos você foi trabalhar no fim de semana? Você não acha que já damos duro o bastante durante a semana?

O promotor de justiça, Håkon Sand, também conselheiro de investigação policial, função comum na Noruega, estava parado na porta. Ele vestia um par novo de jeans e, pelo menos uma vez na vida, estava usando paletó e gravata. O paletó era um pouco largo, e a gravata, um tanto grande, mas, de qualquer maneira, estava razoavelmente bem-vestido, com exceção do comprimento da calça. Hanne Wilhelmsen não se conteve e se abaixou para dobrar os centímetros a mais para dentro, de modo que não ficassem à mostra.

– Você não deveria andar por aí mostrando o avesso da roupa.

A policial sorriu amigavelmente e ficou em pé. Ela passou a mão levemente pelo braço dele, quase como um afago.

– Agora, sim, você está elegante. Vai ao tribunal?

– Não – respondeu o promotor, sentindo-se constrangido diante do gesto bem-intencionado de Hanne.

Por que a investigadora tinha que se preocupar com a minha falta de senso estético? Ela deveria ter se poupado o trabalho, ele pensou, embora não tivesse dito.

– Eu tenho um encontro logo após o trabalho. E quanto a você? Por que esteve aqui?

Uma pasta verde-clara voou pelo ar até cair exatamente sobre os arquivos de Wilhelmsen.

– Acabei de receber isso – ele prosseguiu. – Um caso estranho. Não há registro de pessoas ou animais que tenham sido desmembrados em nossa jurisdição.

– Eu fiz um turno extra na seção criminal – ela explicou, sem tocar na pasta. – Eles estão com várias pessoas doentes ultimamente.

Håkon Sand, um homem de cabelos escuros, bem aparentado e cujos fios grisalhos nas laterais da cabeça sugeriam que ele tivesse mais idade do que seus 35 anos, acomodou-se na cadeira em frente à mesa. Ele tirou os óculos e começou a limpá-los com a ponta da gravata. As lentes não ficaram muito limpas, mas a gravata definitivamente ficou mais amarrotada.

– Nós dois fomos designados para assumir o caso. Isto é, se houver um caso. Não existe vítima, ninguém viu nem ouviu nada. Estranho. Há algumas fotos aí dentro.

Ele apontou para a pasta.

– Eu não preciso ver isso, obrigada.

Ela balançou os braços em negação e continuou:

– Eu estava lá. Não era uma visão muito agradável.

– Mas uma coisa é certa – ela prosseguiu, debruçando-se sobre ele –, se comprovarem que aquilo tudo é sangue humano, duas ou três pessoas devem ter sido mortas ali. Eu estou começando a pensar que alguns vândalos estão nos pregando uma peça.

A teoria não era improvável. A polícia de Oslo enfrentava a pior primavera de todas. Em um período de seis semanas, três assassinatos ocorreram na cidade e ao menos um deles permanecia sem solução. Cerca de 16 casos de estupro foram relatados na mesma época, dos quais sete chamaram muita atenção da mídia. O fato de uma das vítimas, membro do Parlamento pelo partido dos Democratas Cristãos, ter sido brutalmente atacada no Palace Park ao voltar para casa após uma reunião de comitê à noite, além de a polícia não ter conseguido avançar nas investigações, fizeram com que o povo ficasse inflamado. Incitados pelos tabloides, os cidadãos de Oslo frustrados passaram a protestar contra a aparente incompetência da polícia. O prédio longilíneo, em curva, situado na Grønlandsleiret 44, cinza e inabalável, parecia impassível diante de críticas tão cruéis. Seus frequentadores chegavam ao trabalho todas as manhãs com os ombros caídos e os olhos abatidos. Dia após dia, saíam bem depois do final do expediente, postura encolhida, sem nada para mostrar além de mais mortes confirmadas, apesar de todo o empenho diário. Os deuses do clima debochavam deles com o calor intenso do verão. Os toldos eram abaixados, em vão, sobre todas as janelas da fachada sul do enorme edifício, dando à construção um aspecto tanto de cegueira quanto de surdez. O interior continuava abafado. Nada ajudava e nada apontava a saída para aquele beco de estagnação profissional, que simplesmente aumentava com a entrada de um caso novo no banco de dados. Eles deveriam servir para dar assistência, mas, em vez disso, tornavam-se hostis, quase zombavam deles a cada manhã quando escancaravam a lista de casos não resolvidos.

– Que primavera! – disse Hanne Wilhelmsen com um suspiro irônico.

Com um semblante de resignação, ela levantou uma das sobrancelhas e olhou para o seu superior. Os olhos de Hanne não eram grandes, mas tinham um tom azul fascinante, com uma borda preta distinta em volta da íris, fazendo com que aparentassem ser mais escuros do que realmente eram. Seu cabelo era castanho-escuro e bem curto. De tempos em tempos, ela puxava os fios distraidamente, como se desejasse que eles fossem mais longos e, que ao fazer aquilo, aceleraria o processo de crescimento. Sua boca era carnuda, o lábio superior tinha o formato de coração não só na borda de cima, mas também no declínio do traço que delineava a de baixo, e tocava delicadamente o lábio inferior, que possuía uma espécie de fenda hesitante que mudou de ideia, estando mais para uma curva sensual do que para um defeito. Ela tinha uma cicatriz sobre o olho esquerdo, paralela à sobrancelha. A marca ainda estava rosada, era recente.

– Eu nunca vi este lugar assim. Embora eu esteja aqui há 11 anos, apenas. Kaldbakken já está aqui há 30 anos e também nunca viu nada igual.

Ela puxou a camiseta e a sacudiu.

– Além disso, este calor não torna as coisas mais fáceis. A cidade inteira se agita à noite. Seria ótimo se chovesse agora. Ao menos evitaria que as pessoas saíssem.

Eles ficaram ali por um longo período, discutindo acerca de vários assuntos irrelevantes. Eram bons amigos que sempre tinham sobre o que conversar, mas que, ao mesmo tempo, não sabiam muita coisa a respeito um do outro. Eles sabiam que ambos adoravam o trabalho, que o levavam a sério e que eram igualmente competentes. E mais: que nenhum dos dois se esforçava para melhorar a relação entre eles. Ela era uma policial habilidosa que havia conquistado a fama de ser sempre muito eficiente, porém, após ter investigado um caso dramático no último outono, transformara-se em uma lenda. Ele ficou perambulando pela delegacia como um advogado de segunda classe por mais de seis anos, nunca ganhou notoriedade, nunca foi considerado brilhante. Mesmo assim foi capaz de construir sua reputação por ser conscencioso e trabalhar duro. Ele também teve um papel decisivo no mesmo caso extraordinário. Sua notabilidade se tornou sólida e invulnerável, contrariando a consideração anterior: a de ser insignificante.

Talvez eles se completassem. Quem sabe o fato de eles jamais competirem possibilitasse a ambos trabalharem tão bem juntos. Entretanto, a amizade era curiosa, restringia-se às paredes da delegacia. O promotor de justiça Håkon Sand lamentava profundamente aquela situação e se esforçou muitas vezes para mudá-la. Algum tempo atrás, ele sugeriu que os dois saíssem para jantar. A recusa foi tão enfática que ele não faria o convite novamente tão cedo.

– Bem, vamos deixar o depósito ensanguentado por enquanto. Tenho outras coisas para fazer.

A policial bateu levemente sobre uma pilha de arquivos acomodada dentro de uma bandeja ao lado da janela.

– Todos nós temos – completou o promotor antes de caminhar pelos 20 metros de corredor que levavam até seu escritório.

❦

– Por que você não me trouxe aqui antes?

A mulher, sentada do lado oposto da mesa estreita, sorria com ares de reprovação enquanto apertava as mãos do seu acompanhante.

– Eu não tinha certeza se você apreciaria esse tipo de comida – justificou o homem, claramente lisonjeado com o sucesso do jantar.

Os garçons paquistaneses, vestidos de forma impecável e com a dicção de quem nasceu no hospital Aker em vez de uma sala de parto qualquer em Carachi, atenciosamente os guiaram pelo cardápio.

– A localização é um tanto inconveniente – ele acrescentou. – Fora isso, é um dos meus restaurantes prediletos. A comida é boa, o serviço é de primeira, e os preços são acessíveis para um funcionário público.

– Então, você vem aqui com frequência.

Ela fez uma pausa e continuou:

– Com quem?

Ele não respondeu; em vez disso, levantou sua taça para disfarçar quão mortificado tinha ficado com a pergunta. Ele tinha levado todas as mulheres com quem saíra àquele lugar. Dos relacionamentos mais curtos, menos numerosos do que ele gostaria, até os dois ou três que duraram alguns meses. Todas as vezes que ele havia pensado nela, em como seria quando ele estivesse sentado ali com Karen Borg. E agora eles estavam sentados ali.

– Não se importe com as mulheres que vieram antes. Pense que você será a última – ele ressaltou com um sorriso depois de ponderar.

– Muito bem colocado – ela respondeu; no entanto, havia um tom... não de frieza, mas de certa indiferença na voz, que sempre abalava a confiança do promotor. Ele nunca aprenderia a lidar com aquilo.

Karen Borg não queria falar sobre o futuro. Havia quatro meses eles vinham se encontrando regularmente, várias vezes por semana. Jantavam e iam ao teatro. Juntos, passeavam pela floresta e faziam amor quando tinham oportunidade. Algo que não acontecia com muita frequência, afinal ela era casada, logo, seu apartamento estava fora de cogitação. O marido dela sabia que eles tinham um caso, ela comentara; todavia, decidiram não se separar até terem certeza de que era o que ambos queriam. Obviamente eles poderiam ir à casa dele, o que ele sempre sugeria quando se viam. Mas ela recusava.

– Se eu for para a sua casa, terei feito a minha escolha – ela alegava ilogicamente.

Håkon Sand achava que a escolha de fazer amor com ele era uma decisão muito mais importante que a preocupação com o local, mas não adiantava. O garçom trouxe a conta 20 segundos após Sand fazer um sinal. De acordo com a velha lição de etiqueta, o papel foi deixado dobrado em um prato na frente do promotor. Karen a pegou, e ele não conseguia reunir forças para protestar. Uma coisa era saber que ela ganhava cinco vezes mais do que ele, e outra, ser continuamente lembrado disso. Quando o cartão American Express foi devolvido, ele se levantou e puxou a cadeira para ela. O garçom, extremamente belo, chamou um táxi, e ela se aconchegou em seu amante ao se acomodarem no banco de trás.

– Suponho que você queira ir direto para casa – ele falou, prevenindo-se a fim de evitar desapontamentos.

– Sim, amanhã é dia de trabalho – ela confirmou. – Nós nos encontraremos novamente em breve. Eu ligo para você.

Do lado de fora do táxi, ela se curvou para beijá-lo.

– Obrigada pela noite adorável – ela declarou amorosamente, sorrindo ao se distanciar do táxi.

Ele suspirou e deu um novo endereço ao taxista. Ficava em uma parte completamente diferente da cidade, o que dava a ele bastante tempo para sentir a dor da punhalada que ele sempre experimentava após sair com Karen Borg.

DOMINGO, 16 DE MAIO

– Bem, tudo isso é muito impressionante!
Håkon Sand e Hanne Wilhelmsen finalmente haviam concordado em algo. O que era bastante incomum.

Estava garoando. As gotas eram bem-vindas depois do calor tropical fora do normal das últimas semanas. A garagem era aberta, um andar construído sobre outro, apoiados em pilares com vários metros de vão entre eles. Nenhum muro separava o clima dos poucos carros estacionados nos fundos do prédio escuro. No entanto, não parecia que o sangue tivesse sido lavado.

– Nenhuma novidade? Nenhuma arma ou qualquer outra coisa? Nenhuma garotinha desaparecida?

Era o conselheiro de polícia quem questionava. Håkon vestia um agasalho esportivo e bocejava, apesar do cenário de violência à sua volta. Havia manchas de sangue em um dos cantos do primeiro andar do estacionamento. Ele sabia, devido a experiências desagradáveis, que o sangue tinha uma tendência horrível a se espalhar rapidamente, mas, pelo que podia ser visto ali, foram necessários muitos litros daquele líquido.

– Foi bom você ter telefonado – ele disse com mais um bocejo, olhando discretamente para o relógio.

Eram 5h30 da manhã de domingo. Um carro cheio de estudantes animados passou pelo local, fazendo um barulho ensurdecedor com a buzina pelo caminho. Em seguida, tudo ficou silencioso, como é de costume quando os notívagos se deitam, apoiados na certeza de que ninguém precisaria levantar cedo.

– Claro! Você tinha que ver isso. Por sorte havia uma parceira de serviço, ela lembrou que eu estava envolvida no primeiro desses...

Hanne Wilhelmsen não sabia exatamente como nomear esses casos absurdos.

– ... desses massacres de sábado à noite – ela concluiu, após uma breve pausa. – Faz meia hora que cheguei aqui.

Os dois peritos criminais estavam em plena atividade, coletando amostras e fotografias. Eles trabalhavam com agilidade e enorme precisão. Nenhum deles falava uma palavra enquanto realizavam o trabalho. Hanne e Håkon também permaneceram em silêncio durante um bom tempo. À distância, pôde-se notar que os estudantes, que haviam passado por ali, encontraram alguns colegas, e o estardalhaço com a buzina interrompeu a quietude mais uma vez.

– Isso deve ter algum significado. Veja só!

Håkon Sand tentou seguir a indicação que ela fazia com o dedo em direção à parede. A luz era escassa, mas os números estavam claramente em destaque, já que Hanne havia chamado a atenção para eles.

– Nove, dois, seis, quatro, sete, oito, três, cinco – ele leu em voz alta. – Quer dizer alguma coisa para você?

– Nada. Exceto por terem a mesma quantidade de dígitos que da última vez, e os dois primeiros serem os mesmos.

– Poderiam ser um número de telefone?

– Esse código de área não existe. Eu já pensei nisso, óbvio.

– Número de previdência?

Ela não respondeu.

– Claro que não – ele respondeu para si mesmo. – Não existe um 19º mês...

– Além do mais, ou há dois algarismos a mais ou três a menos.

– Porém, ao contrário, a data de nascimento está de trás para frente – Håkon Sand observou com entusiasmo. – Começa com o ano!

– Certo! Então, temos um assassino que nasceu no 78º dia do 64º mês de 1992.

Um silêncio desconfortável se instalou, mas Hanne Wilhelmsen era bastante amável para impedir que aquela situação perdurasse.

– O sangue está sendo analisado. Além disso, deve haver impressões digitais por aqui em algum lugar. É melhor irmos para casa. Espero não ter sido inconveniente ao telefonar. Até amanhã!

– Amanhã? Mas amanhã é dia 17!

– Minha nossa! É verdade! – ela exclamou, segurando um bocejo. – Particularmente, eu ignoro esse dia, mas a ideia de tirar um dia de folga me agrada.

– Ignorar o dia 17 de maio?

Ele estava realmente surpreso.

– Um dia para trajes típicos, bandeiras e outras besteiras nacionalistas. Eu prefiro cuidar da minha floreira.

O promotor não acreditava que ela estivesse falando sério. Se aquilo fosse verdade, ela teria contado algo a seu respeito pela primeira vez. Esse fato o fizera ficar pensativo durante todo o percurso de volta para casa. Mesmo ele adorando o dia 17 de maio.

TERÇA-FEIRA, 18 DE MAIO

O Dia da Constituição Norueguesa foi como o dia anterior. O sol espalhando calor pelo país e pelas verdes árvores de primavera. A família real pomposamente acenava da sacada. Exaustas, as crianças entediadas, usando minitrajes típicos sujos de sorvete, agitavam lentamente suas bandeiras, apesar de seus pais, extasiados, tentarem animá-las. Com a voz áspera, estudantes bêbados devastavam tudo o que viam pela frente, como se aquele fosse o último dia deles na terra e como se tivessem a intenção de alcançar o nível máximo de álcool no sangue a caminho do além. Os noruegueses aproveitaram bastante o dia com sua constituição e excesso de gemada; os cidadãos concordavam que tudo tinha sido maravilhoso.

A polícia de Oslo, por outro lado, viu tudo o que as outras pessoas ficariam felizes em não ter que presenciar. Má conduta, cidadãos intoxicados, adolescentes rebeldes, um ou dois motoristas alcoolizados e alguns exemplos de violência doméstica: tudo isso era esperado e por isso podia ser controlado facilmente. Um assassinato brutal e outros cinco esfaqueamentos eram fora do normal. Encabeçando essa lista, houve novos casos de estupro. O Dia 17 de maio desse ano entraria para a história como o pior de todos.

– Não consigo entender o que está acontecendo nesta cidade. Não compreendo.

O chefe de polícia Kaldbakken, que estava no comando da A 2.11, da Divisão de Homicídio, da Central de Polícia de Oslo, estava na corporação há mais tempo que qualquer um naquela sala. Era um homem de poucas palavras e mesmo as que ele proferia não passavam de murmúrios ininteligíveis. Contudo, dessa vez todos entenderam:

– Eu nunca tinha visto algo assim.

Todos desviaram o olhar sem dizer uma palavra. Eles infelizmente sabiam o que aquela onda de crimes significaria.

– Horas extras – um dos policiais finalmente sussurrou.

Ele olhou fixamente para uma montagem na parede com fotos da festa de verão do ano anterior.

– Horas extras, horas extras. Minha esposa vai ficar furiosa.

– Ainda há verba para pagamento de hora extra? – perguntou uma das policiais que tinha os cabelos loiros e curtos e uma visão otimista da vida.

Ela não recebeu uma resposta imediata, apenas um olhar de reprovação do superintendente que disse aos mais experientes no recinto o que eles já sabiam.

– Sinto muito, companheiros, mas, se isso continuar, teremos que adiar as férias – ele declarou.

Três dos 11 policiais presentes na sala de conferência já haviam agendado suas férias para agosto e setembro e agora silenciosamente davam graças por terem feito isso. Até lá a situação já deveria estar mais tranquila.

Eles dividiram as tarefas da melhor forma possível. Não havia possibilidade de considerar o número de casos que cada um já tinha para resolver. Todos eles estavam na mesma posição difícil.

Hanne Wilhelmsen foi poupada de investigar homicídios. Em compensação, teve que assumir dois casos de estupro e três de agressão. Erik Henriksen, o policial ruivo, daria assistência a ela. Ele ficou aparentemente feliz com a ideia. Hanne suspirou profundamente, levantou-se quando os casos foram distribuídos e ficou pensando por onde deveria começar enquanto retornava para sua sala.

SÁBADO, 22 DE MAIO

A noite não tinha ido além do documentário de sábado na TV e Hanne Wilhelmsen já havia adormecido. Sua parceira, com quem morava, uma mulher com a mesma idade, pois ambas aniversariavam em um intervalo de três semanas, não tinha visto Hanne durante a semana toda. Até mesmo na Quinta-Feira de Ascensão, que é feriado, a investigadora passou o dia fora e retornou para casa após as 21 horas para desabar na cama. Mas elas compensaram o tempo perdido. As duas mulheres dormiram até tarde, pilotaram a motocicleta por quatro horas e pararam em cafés à beira da estrada para tomar sorvete. Pela primeira vez em anos, elas se sentiram enamoradas. Embora Hanne tivesse pegado no sono durante a sessão vespertina de um filme clássico enquanto Cecilie preparava o jantar, ela mal acabou de devorar a comida com meia garrafa de vinho tinto e se jogou no sofá. Cecilie não sabia se ficava braba ou lisonjeada. Acatando a segunda opção, agasalhou a companheira com um cobertor e sussurrou no ouvido dela:

– Você deve estar muito segura quanto a mim.

O doce aroma da pele feminina e o perfume inebriante fizeram-na permanecer ali. Ela beijou suavemente o rosto de Hanne, tocando-a de leve com a ponta da língua, como se fosse uma pluma deslizando pela face clara da mulher adormecida, já que ela havia decidido não acordá-la.

Uma hora e meia depois, o telefone tocou. Era o telefone de Hanne. Elas sabiam pelo toque. O som do telefone de Cecilie era uma campainha de telefone, e o de Hanne soava como uma melodia. O fato de elas terem dois telefones com números distintos magoava Cecilie profundamente. Ninguém estava autorizado a atender ao telefone de Hanne a não ser ela mesma, porque nenhum indivíduo das delegacias de polícia de Oslo poderia saber que ela dividia uma casa com outra mulher. O sistema telefônico era uma das únicas regras incontestáveis na qual esse relacionamento de 15 anos se baseava.

O telefone não parava. Se fosse o de Cecilie, elas teriam deixado tocar até que desistissem. Além disso, a insistência indicava que deveria ser algo importante. Suspirando, Hanne ficou de pé, nua, na porta que levava ao corredor, de costas para o quarto.

– Wilhelmsen, pode falar!

– Aqui é Iversen, do plantão. Desculpe por ligar tão tarde...

Hanne olhou para o relógio da parede da cozinha, que só podia ser visto de onde ela estava. Já havia passado da meia-noite.

– Não, tudo bem.

Ela bocejou, tremendo um pouco por causa da corrente de ar que vinha do corredor.

– Irene Årsby achou melhor contatá-la. Temos um novo massacre de sábado à noite. É uma visão infernal.

Cecilie foi atrás da parceira com um roupão atoalhado cor-de-rosa decorado com uma enorme logo da Harley Davidson e o colocou sobre os ombros dela.

– Em que lugar?

– Num alojamento de trabalhadores da companhia Moelven, próximo ao River Lo. O local era trancado com um pequeno cadeado, mas um sapo conseguiria entrar se quisesse. Você não imagina como estão as coisas por lá.

– Acredite, eu imagino. Acharam algo interessante?

– Nada. Apenas sangue. Em toda parte. Você gostaria de dar uma olhada?

A investigadora de polícia Wilhelmsen gostaria de dar uma olhada. Os cenários cobertos por sangue oriundos de crimes inexistentes a intrigavam profundamente. Por outro lado, embora a cota de paciência de Cecilie estivesse renovada, não era infinita. Deveria haver um limite.

– Não, vou me conformar com as fotografias desta vez. Obrigada pela ligação.

– Sem problema!

No instante em que iria colocar o telefone de volta no gancho, mudou de ideia.

– Alô? Você ainda está ai?

– Sim.

– Você notou se há algo escrito no sangue?

– Na verdade, sim. Um número. Muitos dígitos. Estão ilegíveis, mas foram fotografados de todos os ângulos.

– Excelente. Isso é realmente muito importante. Boa noite. E obrigada novamente!

– Disponha!

Hanne Wilhelmsen se aconchegou novamente na cama.

– Era importante? – perguntou Cecilie.

– Não, apenas outro caso como aqueles das poças de sangue que já lhe contei. Nada sério.

Minutos depois, Hanne Wilhelmsen estava em algum lugar da fronteira entre o sonho e a realidade, quase dormindo, quando Cecilie a acordou.

– Por mais quanto tempo vamos continuar com esse sistema telefônico que temos? – ela questionou calmamente como se não soubesse a resposta.

Foi então que Hanne se virou, ficando de costas para a companheira, sem proferir uma única palavra. De repente, as colchas que cobriam parcialmente o corpo de ambas, servindo de cobertor para duas pessoas que pertenciam uma à outra, foram puxadas em direções opostas. Hanne envolveu uma das colchas em volta do próprio corpo, ainda sem dizer nada.

– Eu não consigo compreender, Hanne, eu aceitei isso durante muitos anos. Mas você sempre disse que, algum dia, não seria mais assim.

Hanne Wilhelmsen permaneceu deitada, imóvel, sem dizer uma palavra, em uma posição encolhida, de costas para a companheira, demonstrando rejeição e frieza.

– Dois números de telefone. Eu nunca conheci um colega seu. Nem mesmo seus pais. Sua irmã é alguém que você vez ou outra menciona em alguma história da sua infância. Não podemos passar sequer o Natal juntas.

Cecilie estava agitada e se levantou da cama. Havia mais de dois anos que não tocava nesse assunto e, embora não acreditasse que conseguiria alguma coisa com isso, sentiu uma urgência repentina de expressar sua opinião. Ela ainda não tinha se conformado com esse acordo. Jamais se contentaria com a defesa impenetrável contra tudo o que fosse relativo à vida de Hanne fora daquele apartamento. Delicadamente ela colocou uma das mãos nas costas de Hanne, mas a tirou em seguida.

– Por que todos os nossos amigos são médicos ou enfermeiros? Por que você só se relaciona comigo e com a minha família? Sério, Hanne, nunca conversei com outro soldado da polícia além de você!

– Não sou "soldado" – o som veio abafado pelos travesseiros.

Cecilie tentou tocar as costas de Hanne mais uma vez, mas ela não precisou recuar. O corpo inteiro estava trêmulo. Hanne Wilhelmsen não tinha nada para dizer. Silenciosamente, Cecilie se deitou ao lado da companheira, abraçou a mulher que estava aos prantos e decidiu não trazer aquele assunto à tona novamente. Pelo menos por mais alguns anos.

SÁBADO, 29 DE MAIO

De repente, ocorreu a ela que ele não parecia ser mal. Alto e loiro. Ombros um tanto largos. Uma lâmpada com a luz fraca sobre a entrada da porta confirmava que os cabelos eram penteados para trás nas laterais da cabeça e que ele estava estranhamente bronzeado para aquela época do ano, mesmo considerando o clima quente. A mulher tinha a tez pálida sob aquela luz sem intensidade; a dele era escura, como se a temporada de esqui na Páscoa tivesse chegado.

A sombra dela se encolheu à sua frente, enquanto vasculhava a enorme bolsa de tecido para tentar encontrar as chaves. Ele observava com tanto interesse o que ela fazia que, francamente, ela deveria ter achado aquilo suspeito. Parecia que ele tinha feito uma aposta consigo mesmo sobre se aquela mulher conseguiria encontrar qualquer coisa no meio daquela confusão.

– Dinheiro não é tudo na vida – o homem falou, ao olhar para a bolsa da moça. Você é capaz de achar alguma coisa aí?

Ela esboçou um sorriso com ar de fadiga para o sujeito. Estava extremamente cansada. Já era muito tarde.

– Moças como você não deveriam ficar na rua até esta hora – ele continuou quando ela abriu a porta.

Ele a acompanhou até que ela entrasse.

– Durma bem, então – ele falou, desaparecendo na escadaria.

A caixa do correio estava vazia. Ela também não estava se sentindo muito bem. Não tinha bebido muito, somente algumas doses pela metade, mas havia algo sobre premissas de fumaça. Seus olhos estavam ardendo e parecia que as lentes de contato estavam firmemente coladas nos globos oculares.

O quarteirão inteiro já estava adormecido; escutava-se apenas a batida de uma música distante tocando em algum aparelho de som em um apartamento da vizinhança, vibrando inaudível sob o dela.

Havia duas travas de segurança na porta. Nenhuma medida de cautela era demais, uma mulher morando sozinha no centro da cidade, seu pai frequentemente a lembrava; ele mesmo se encarregara de instalar as trancas. Ela usava apenas uma. Deveria haver um limite para o pessimismo.

A calorosa e acolhedora sensação de estar em casa a tomou assim que ela passou pela soleira da porta. Quando ela já estava praticamente dentro, ele apareceu.

O susto foi maior que a dor que ela sentiu ao cair no chão. Ao fundo, ela pôde ouvir o barulho da tranca. A mão fria e forte que tampava sua boca a deixou totalmente paralisada. O joelho dele pressionava as pequenas costas dela com força, sua cabeça fora puxada para trás pelos cabelos. A espinha dela quase se partiu ao meio.

– Fique bem quieta, seja uma boa menina, e tudo ficará bem.

Sua voz era diferente daquela de três minutos atrás. No entanto, ela sabia que era ele. E ela sabia de que ele estava atrás. Uma garota de 24 anos de idade morando em um apartamento alugado no centro de Oslo não possuía nada de valor. Só aquilo que ele procurava. Ela sabia disso. Entretanto, ela não temia. Ele podia fazer o que quisesse, desde que não a matasse. Era da morte que ela tinha medo. Apenas da morte.

Tudo ficou escuro por causa daquela dor terrível. Ou era simplesmente por que ela não respirava? Devagar, ele foi soltando sua boca, ao mesmo tempo que repetia a ordem para que ela ficasse quieta. Não era necessário. A laringe dela tinha engolido um enorme, silencioso e doloroso caroço, que bloqueou tudo.

Meu Deus, não permita que eu morra. Não permita que eu morra. Que ele termine tudo bem rápido, rápido, rápido.

Esse era o único pensamento que agitava a sua mente como um turbilhão a cada momento.

Ele pode fazer o que quiser, mas querido, querido Deus, não permita que eu morra.

As lágrimas não paravam de cair, um fio úmido escorria por seus olhos, como se tivesse vontade própria. Os olhos agiam automaticamente, ignorando o fato de ela não estar chorando de verdade. O homem se levantou repentinamente. Ela foi tomada pela dor na espinha ao voltar para a posição original. Mas não por muito tempo. Ele a agarrou pela cabeça, uma das mãos segurando a orelha direita e a outra estava nos cabelos, e a arrastou até a sala. A dor era intensa, e ela se debatia contra ele. Ele andava rápido, os braços dela eram incapazes de acompanhar o ritmo dele. Seu pescoço se esticava atrás dele, desengonçado, tentando não quebrar. Ela apagou mais uma vez.

Meu Deus. Não permita que eu morra.

Ele não acendeu a luz. Um poste de rua oferecia iluminação suficiente. No meio da sala, ele a soltou. Em posição fetal, ela começou a chorar copiosamente. Silenciosa, mas acompanhada de soluços e tremores. Ela levou as mãos ao rosto, com a esperança inútil de que o homem teria ido embora quando ela as abaixasse.

De repente ele estava sobre ela novamente. Um pedaço de tecido fora empurrado para dentro de sua boca. Um pano de prato. Um gosto pungente quase a sufocou. Ela vomitou, mas o tecido impediu que ela eliminasse o que veio do estômago; ela perdeu a consciência.

O pano havia sumido quando ela acordou. Estava deitada nua em sua cama. O homem estava sobre ela. Ela podia sentir o pênis dele entrando e saindo, mas a dor em volta dos tornozelos era mais excruciante. Eles estavam amarrados aos pés da cama com algo afiado; parecia arame.

Santo Deus. Não permita que eu morra. Nunca mais me queixarei de nada.

Ela havia desistido. Não havia nada que pudesse fazer. Tentou gritar, mas as cordas vocais ainda estavam imobilizadas.

– Você é linda – ele disse entredentes. – Uma garota bonita como você não pode passar um sábado à noite sem um pau!

O suor dele pingava no rosto dela e se extinguia na pele. Ela virava a cabeça de um lado para o outro tentando evitar isso. Por um breve momento, ele soltou um de seus pulsos para beijar intensamente sua orelha.

– Não se mexa!

Demorou. Quanto tempo, ela não tinha ideia. Quando terminou, ele permaneceu em cima dela como se fosse uma massa de chumbo. Ele estava ofegante. Ela não falou nem fez nada. Era o que podia fazer para continuar viva.

Ele se levantou devagar e afrouxou as amarras em torno dos tornozelos dela. Eram arames. Ele deveria ter levado aquilo, ela deduziu com letargia. Não havia nada parecido em seu apartamento. Embora estivesse livre para se mover, ficou deitada ali, apática. Ele a virou de barriga para baixo. Ela não ofereceu resistência.

Ele foi para cima dela novamente. Por um longo segundo, ela percebeu que ele ainda mantinha a ereção. Ela não entendia como isso podia acontecer tão rápido, apenas um minuto após ele ter gozado.

Ele afastou as nádegas dela. Em seguida, a pegou por trás. Ela não tinha nada para falar; apenas desmaiou novamente, mas tratou de repetir sua prece com fervor.

Amado Deus, que estais no céu. Não permita que eu morra. Tenho apenas 24 anos. Não permita que eu morra.

Ele se foi. Era sua esperança. Ela continuava deitada na mesma posição em que estava quando perdeu os sentidos, nua, de barriga para baixo. Da rua, os sons da manhã de domingo começavam a ser ouvidos. A noite tinha acabado. Uma clara manhã de maio invadiu o quarto, deixando sua pele avermelhada. Ela não ousou se mexer, viu as horas no relógio ao lado da cama. Sem mover um músculo, ela ficou ali deitada, ouvindo o próprio coração bater. Por três horas. Então, ela praticamente teve certeza. Ele tinha ido embora.

Ela ficou em pé, ereta, olhando para o próprio corpo. Os seios estavam caídos, frios, como se lamentassem o destino dela ou, quem sabe, já estivessem mortos. Os tornozelos estavam bastante inchados. Havia um enorme ferimento entalhado e coberto de sangue em volta de cada um deles. O ânus doía muito e, na vagina, havia uma sensação latejante que ia até suas entranhas. Firme, calma, quase impassível, ela tirou a roupa de cama, não levou muito tempo, e tentou jogá-la no lixo. A lixeira não era grande o suficiente e, soluçando, numa fúria crescente, ela tentou, em vão, colocar tudo em um saco. Não conseguiu e se sentou no chão, totalmente devastada, nua e desprotegida.

Santo Deus. Por que não permitiu que eu morresse?

A campainha ecoou brutalmente pelo apartamento. Aquilo a dilacerou por dentro, e ela não pôde conter o grito.

– Kristine?

A voz estava muito distante, mas sua ansiedade ultrapassava as duas portas.

– Vá embora – ela murmurou sem esperança de que ele pudesse ouvi-la.

– Kristine? Você está em casa?

A voz estava agora mais alta e aflita.

– VÁ EMBORA!

Toda a força que lhe faltara durante a noite, quando ela realmente precisava, reuniu-se em uma única exclamação.

Logo após ter recebido a ordem, ele estava de pé, encarando-a e tentando respirar. Ele deixou suas chaves caírem no chão.

– Kristine! Minha menina!

Ele se abaixou, envolvendo carinhosamente nos braços aquele corpo nu e oprimido. O homem tremia assustado, ofegando como um coelho. Ela gostaria de consolá-lo, dizer algo que tornasse as coisas melhores, falar que estava tudo bem, que nada havia acontecido. No entanto, ela sentia o tecido rígido da camisa dele roçando seu rosto e inalou a segurança do odor masculino que lhe era familiar; ela perdera a esperança.

O gigante na figura paterna a abraçava apertado, balançando-a de um lado para o outro como um bebê. Ele sabia o que tinha acontecido. A lixeira com a roupa de cama transbordando, o sangue em volta dos tornozelos, sua nudez, o ser desprotegido e os soluços aturdidos que ele jamais havia escutado. Ele a levou cuidadosamente para o sofá e enrolou o cobertor no corpo dela. A aspereza da lã irritou sua pele, mas ele não queria deixá-la buscar um lençol. Em vez disso, fez um juramento sagrado para si mesmo enquanto acariciava os cabelos dela repetidamente.

Contudo, não proferiu uma palavra.

SEGUNDA-FEIRA, 31 DE MAIO

Foi difícil se acostumar com a presença deles. A mulher de 24 anos sentada de frente para ela, olhando para baixo, era a 42ª vítima de estupro de que a investigadora Hanne Wilhelmsen teria que cuidar. Ela mantinha a contagem. O estupro era o pior crime de todos. Homicídio era algo diferente, ela podia, de certa forma, compreender.

Um insano e furioso momento de violência e instabilidade, talvez um traço de agressão reprimido durante anos. Isso até entrava na cabeça dela. Mas não o estupro.

A vítima estava acompanhada pelo pai. Isso não era tão incomum. O pai, uma amiga, às vezes um parceiro, mas raramente a mãe, o que é realmente algo estranho. Talvez a mãe seja próxima demais.

O homem era imenso e parecia não caber na cadeira estreita. Não era gordo, era simplesmente grande. De qualquer forma, os quilos a mais combinavam com ele. Deveria ter mais que 1,90 m de altura, com uma aparência forte, robustamente masculina e não muito bonita. A mão enorme segurava a delicada mão da filha. Um consolava o outro de modo indefinível. A mulher tinha uma estrutura diferente, bastante esguia, embora tivesse puxado o pai no que dizia respeito à altura. Contudo, havia algo em seus olhos, o mesmo formato, a mesma cor. E exatamente a mesma expressão. Um desalento pesaroso que, surpreendentemente, era mais acentuado no homenzarrão.

A investigadora Hanne Wilhelmsen ficou constrangida.

Estupro era algo a que ela jamais se acostumara. Todavia, Hanne era esperta, e policiais espertos nunca mostram seus sentimentos. Pelo menos, não o constrangimento.

– Preciso fazer algumas perguntas – disse pausadamente. – Algumas não são muito agradáveis. Posso prosseguir?

O pai se contorceu no assento.

– Ela passou várias horas respondendo a perguntas ontem – ele declarou. – É mesmo necessário fazer tudo isso de novo?

– Sim, infelizmente. O relatório ainda não é conclusivo.

Ela hesitou imperceptivelmente.

– Podemos esperar até amanhã, mas...

Ela puxou o cabelo.

– ... isso é urgente demais para nós, entende? Agirmos rápido em uma investigação como esta é vital.

– Tudo bem.

A mulher respondeu por si mesma dessa vez. Mudando ligeiramente de posição, ela se preparou para mais uma reiteração sobre sábado à noite.

– Está tudo bem – ela repetiu, dessa vez dirigindo-se ao pai.

Agora era a mão da filha que confortava o pai.

Ele está arrasado com tudo isso, foi o pensamento da investigadora assim que ela deu início às perguntas.

– Almoço, Håkon?

– Não, obrigado, já almocei.

Hanne Wilhelmsen olhou para o relógio.

– Já? Mas são apenas 11 horas.

– Eu sei, mas tomo um café com você. Farei companhia. Para a cantina ou para o escritório?

– Para o escritório.

Algo chamou a atenção dele assim que entrou. Ela tinha cortinas novas. Não tinham exatamente o padrão da polícia: vinco azul com flores do campo.

– Elas são muito bonitas! Como você as conseguiu?

Ela não respondeu. Em vez disso, foi buscar um pacote com um pano dobrado no armário.

– Mandei fazer para você também.

Ele ficou abismado.

– Custou apenas 7 coroas o metro. Na Ikea. 7 coroas o metro! De qualquer forma, elas são muito mais vistosas e muito mais asseadas do que os trapos providenciados pelo Estado!

Ela apontou para uma cortina cinza imunda jogada no cesto de lixo, que parecia envergonhada só por terem mencionado sua existência.

– Muito obrigada!

O promotor Håkon Sand aceitou todo aquele tecido com entusiasmo, imediatamente derramando toda sua xícara de café sobre ele.

Uma grande flor marrom despontou entre todos os pequenos ramos de vermelho e cor-de-rosa. Com um quase inaudível longo suspiro de desapontamento, a investigadora pegou as cortinas de volta.

– Eu vou lavá-las.

– Não, nem pensar, eu mesmo farei isso!

Havia um perfume estranho no recinto. Desconhecido e um tanto avassalador. A explicação estava em uma fina pasta verde sobre a mesa entre eles.

– Por falar nisso, este é o nosso caso – ela falou ao terminar de limpar a pior parte do estrago feito pelo café.

Ela entregou os papéis a ele e continuou:

– Estupro. Terrível.

– Todo estupro é terrível – o promotor de polícia murmurou.

Alguns instantes depois de ler o relatório, ele concordou com ela. Fora horrível.

– Como ela era?

– Uma garota do tipo certinha. Bastante doce. Decente em todos os sentidos. Estudante de Medicina. Inteligente. Bem-sucedida. E muito violentada.

Seu corpo tremeu.

– Elas se sentam ali, tímidas e indefesas, olhando para o chão e mexendo os polegares como se fosse culpa delas. Isso me desencoraja muito. Às vezes, eu me sinto ainda mais impotente do que elas. Eu acho.

– Como você acha que eu me sinto, então? – inquiriu Håkon Sand.
– Pelo menos, você é uma mulher. Não é sua culpa que os homens resolvam estuprar.

Ele largou os dois depoimentos da aluna de medicina sobre a mesa.

– Bem, não é realmente sua culpa também, você sabe.

A investigadora sorriu.

– Não... porém eu me sinto pouco à vontade quando preciso lidar com elas. Coitadas. Mas...

Ele se espreguiçou, bocejou e bebeu o resto de seu café.

– A maioria das vezes eu evito ter contato com elas. O Ministério Público atende esses casos. Felizmente. Para mim, as meninas são meramente nomes em uma folha de papel. Você já pegou sua moto, mudando de assunto?

Hanne Wilhelmsen abriu um largo sorriso ao se levantar.

– Venha aqui.

Ela o chamou com a mão, posicionando-se ao lado a janela.

– Ali! Aquela rosada!

– Você tem uma motocicleta cor-de-rosa?

– Não é cor-de-rosa – ela protestou ofendida. – É rosada. Ou cereja. Mas, certamente, não é rosa.

Sorrindo, Håkon Sand a cutucou de lado vigorosamente.

– Uma Harley Davidson rosa! Foi a coisa mais feia que eu já vi!

Ele a olhou de alto a baixo.

– Por outro lado, de qualquer maneira, você é atraente demais para pilotar uma moto. No mínimo, teria que ser uma cor-de-rosa mesmo.

Pela primeira vez, desde que se conheceram, havia quase quatro anos, viu a investigadora Hanne Wilhelmsen corar. Ele apontou triunfantemente para o rosto dela.

– Rosada!

A garrafa de limonada o acertou no meio do peito. Por sorte era feita de plástico.

Ela simplesmente não conseguia dar uma descrição detalhada do estuprador. Dentro da sua cabeça, em algum lugar, a imagem era absolutamente clara, mas ela não era capaz de extraí-la.

O retratista da polícia era um homem paciente. Desenhando e apagando, delineava os traços e sugeria um queixo diferente. A mulher balançou a cabeça e, olhando para o retrato, pediu para ele diminuir um pouco mais as orelhas. Nada ajudava. Não se parecia nada com ele.

Eles permaneceram ali por três horas. O retratista teve que pegar quatro novas folhas de papel e já estava prestes a desistir. Os desenhos estavam dispostos na frente dela; nenhum estava completo.

– Qual deles se parece mais com o homem, então?

– Nenhum deles...

Era hora de fazer uma pausa.

A investigadora Hanne Wilhelmsen e o promotor Håkon Sand não eram os únicos que não gostavam de casos de estupro. O chefe de polícia Kaldbakken, superior imediato de Hanne Wilhelmsen, estava cansado deles também. Seu rosto equino reagiu como se um saco de aveia tivesse sido colocado diante dele, e ele desejava mais do que qualquer outra coisa poder dizer "Não, obrigado pela oferta".

– O sexto em menos de duas semanas – ele resmungou. – Embora este aqui tenha um método ligeiramente diferente. Os outros cinco são autoinfligidos. Este, não.

Estupros autoinfligidos... tal descrição a enfureceu. Havia casos daquele tipo mais que suficientes: meninas que tinham ido para casa com homens que eram mais ou menos estranhos a elas depois de uma noite de bebedeira na cidade. Estupros pós-festas. Raramente se tomava uma providência nesses casos. Era a palavra de uma pessoa contra a de outra. Sempre a mesma coisa, dificilmente a culpa era da moça. Mas ela preferiu não falar nada. Não porque estivesse com medo do chefe, mas simplesmente por não querer se incomodar.

– A vítima não foi capaz de colaborar muito com o retrato – ela preferiu informar. – E ela não pôde apontar o homem em nossos arquivos também. Frustrante.

Era verdade. Acima de tudo, porque eles não conseguiriam resolver o caso. Quanto a isso, não faltaria empenho. No entanto, o *modus operandi* presente deu a eles motivo para inquietação.

– Homens assim não desistem até que sejam apanhados.

Kaldbakken percorreu a sala com os olhos sem prestar atenção em nada. Nenhum dos dois comentou, mas ambos tiveram um mau pressentimento ao ver o sol de maio glorioso que brilhava sedutor do lado de fora daquelas janelas sujas. O homem magro tocou a pasta com o dedo torto.

– Esse cara pode nos dar trabalho nesta primavera – ele declarou, extremamente preocupado. – Eu sugiro que deixemos os outros casos de lado. Ficaremos concentrados neste. Dê prioridade a ele, Wilhelmsen. Sim, de fato, homens assim! Prioridade.

A sala estava tão quente que vestir seu fino agasalho puído com o logotipo do Washington Redskins estampado na frente deixou-a com calor. Ela o tirou. A camisa que usava por baixo estava úmida entre os seios, ela a sacudiu um pouco, mas não adiantou. A janela estava escancarada, mas ela tinha que manter a porta fechada. Uma corrente de vento não seria uma boa ideia para o mínimo de organização que ela tinha conseguido alcançar em sua mesa. Não havia muito que pudesse fazer. Com certeza, eles tinham encontrado algumas evidências na cena do crime, alguns fios de cabelo que poderiam pertencer ao autor, algumas manchas de sangue que, provavelmente, não eram dele e alguns vestígios de sêmen que definitivamente eram. Um esboço ruim, apenas, não oferecia muita vantagem para divulgar nos meios de comunicação, ainda que proporcionasse uma chance. Divulgar as fotos não levou a nada também.

Demoraria algum tempo para obter uma análise do material esparso coletado pela perícia. Nesse ínterim, havia pouco a fazer além de conversar com os vizinhos para descobrir se eles tinham visto ou ouvido alguma coisa. O que era improvável. Eles nunca percebiam nada.

Ela apertou quatro botões no telefone.

– Erik?

– Pois não?

– Aqui é a Hanne. Você poderia me acompanhar num passeio?

Erik concordou. Ele era o cachorrinho de Hanne Wilhelmsen, policial novato, com cabelo vermelho e sardas pelo rosto. Três segundos depois, ele estava à porta da sala dela, abanando a cauda.

– Devo pegar um carro?

Ela se levantou com um enorme sorriso e arremessou um capacete preto na direção dele. Ele o agarrou com um sorriso ainda mais aberto.

– Campeão!

Hanne Wilhelmsen balançou a cabeça.

– Legal, Erik. Campeão não, legal.

O prédio era, provavelmente, da virada do século. Estava situado no extremo oeste e tinha sido reformado com muito cuidado. Diferentemente dos gigantes blocos de apartamentos na área leste, que gritavam um para o outro em tons de lilás, rosa e outras cores que mal tinham sido inventadas quando os prédios eram novos, esse edifício era cinza perolado. As janelas e portas tinham uma moldura em azul-escuro, e a restauração devia ter sido feita recentemente.

Hanne Wilhelmsen estacionou sua moto na calçada. Erik, o ruivo, saltou antes, agitado, em um misto de emoção e transpiração.

– Podemos fazer um desvio no caminho de casa?

– Vamos ver.

A campainha na entrada tinha duas colunas com cinco nomes em cada. No primeiro andar, morava K. Håverstad, sensato e sexo neutro. A precaução não tinha ajudado muito. No térreo, alguém devia ter se mudado recentemente. A placa de identificação não havia sido inserida atrás do vidro de acordo com o regulamento como nos outros, em vez disso estava colada com um pedaço de fita adesiva. Uma exótica sonoridade no nome, o único no prédio inteiro indicando origem estrangeira. A investigadora Wilhelmsen tocou a campainha do vizinho que morava em frente a K. Håverstad.

– Olá...

A voz era a de um homem. Um homem extremamente velho. Ela se apresentou. O idoso parecia muito feliz em receber visitantes e manteve o botão de liberação da porta pressionado com o dedo até que estivessem subindo. Quando chegaram ao primeiro andar, ele estava lá para recebê-los com as mãos estendidas e com um largo sorriso, como se eles estivessem indo a uma festa.

– Entrem, entrem – ele arquejou, segurando a porta aberta.

Devia ter cerca de 90 anos e media pouco mais de 1,60 m. Andava curvado, fazendo com que eles precisassem se sentar para que pudessem estabelecer algum contato visual.

A ensolarada sala de estar estava limpa e arrumada; além disso, havia duas enormes gaiolas. Um grande papagaio colorido estava acomodado em cada gaiola, fazendo um barulho infernal. Havia plantas esparramadas por todos os lugares e quadros antigos com grandes molduras dourados pendurados nas paredes. O sofá de alvenaria era desconfortável. Erik, sem saber ao certo o que fazer, permaneceu de pé ao lado de um dos papagaios.

– Só um instante, eu vou fazer um café.

O velho senhor estava contente. Hanne tentou dispensar o café, mas foi inútil. Xícaras de porcelana e uma guloseima em um prato de bolo foram colocadas na frente deles. Gato escaldado tem medo de água fria: ela recusou, agradeceu os doces, mas aceitou meia xícara de café. O policial Erik era meio inexperiente e se fartou na comida. Uma mordida foi suficiente. Uma expressão de perplexidade tomou conta de seu rosto, e ele olhou em volta, procurando desesperadamente um lugar para se livrar das três fatias de bolo que havia posto em seu prato. Sem conseguir encontrar uma saída, passou o resto do tempo tentando empurrar os pedaços de bolo goela abaixo.

– Talvez o senhor saiba por que estamos aqui.

O homem não respondeu à suposição da investigadora, simplesmente continuou sorrindo, insistindo para que ela aceitasse uma fatia do bolo de marzipan.

– Somos da polícia – declarou ela, mais alto dessa vez.

– A polícia, é mesmo.

Ele sorria sem parar.

– A policial. Jovem bela. Moça bonita.

A mão do idoso, enrugada e ressecada como poeira, tinha uma pele surpreendentemente macia, e ele acariciou o dorso da mão dela muitas vezes. Calmamente, ela pegou a mão dele e o olhou nos olhos. Eles eram azul-claros, tão claros que quase se misturavam com a parte branca de seus globos oculares. As sobrancelhas eram espessas, erguidas em uma curva de otimismo, tendo pelos mais longos no meio. Elas pareciam pequenos chifres. Um agradável e gentil diabinho.

– Houve um crime no apartamento da minha vizinha! Foi no sábado à noite!

Ela levou um susto quando um som ecoou de uma das gaiolas.

– Sábado à noite! Sábado à noite!

Erik se assustou mais ainda. O papagaio estava bem perto da orelha dele e, com isso, derrubou o prato de bolo no chão. Ele ficou sem jeito pela bagunça, porém aliviado por ver que os pedaços do doce estavam agora entre os cacos de porcelana. Dessa maneira, ele não precisaria terminar de comer aquilo, desculpou-se com a boca cheia e gaguejando.

O idoso, amável como sempre, foi buscar pá e vassoura, andando com um pouco de dificuldade. Erik o seguiu, insistindo para o senhor deixar que ele limpasse o que havia sujado. O dono dos pássaros cobriu as gaiolas com um grande pano preto e, de repente, fez-se silêncio.

– Pronto. Agora podemos conversar. Você não precisa falar muito alto. Eu ouço bem.

Eles se sentaram novamente, um de frente para o outro.

– Um crime – ele murmurou tranquilamente. – Uma felonia. Há muito disso hoje em dia. Nos jornais. Todos os dias. Eu passo a maior parte do tempo dentro de casa.

– É a melhor coisa a se fazer – a policial reconheceu. – A mais segura.

A sala estava quente. Um relógio pendurado fazia muito barulho, funcionando vagarosamente. Enquanto aguardava sentada, Hanne notou que já eram quase 16 horas. Hesitante e arduamente, o relógio soou quatro badaladas acústicas.

– Estamos aqui para conversar com os vizinhos, para saber se eles viram ou ouviram alguma coisa – esclareceu Hanne.

– Há algo errado com aquele relógio. Ele não era assim antigamente. O som mudou. Você não acha?

Hanne Wilhelmsen suspirou.

– Um pouco difícil de afirmar. Eu não sei como ele era antes. Mas eu concordo, ele soa um pouco... um pouco infeliz. Quem sabe se um relojoeiro desse uma olhada nele?

Talvez ele não tivesse aceitado a sugestão. Não disse nada, simplesmente continuou sentado ali, balançando a cabeça.

– O senhor ouviu... senhor, ouviu alguma coisa no sábado à noite? No início da manhã de ontem?

Apesar da declaração do velho sobre sua audição, ela não conseguia parar de levantar o tom da voz.

– Não ouvi nada... acho que não. Eu realmente não ouvi nada. Além do que eu ouço todas as noites, é claro. Carros. E o bonde, quando passa. Mas ele não faz isso durante a noite, obviamente. Então, eu não o ouvi.

– O senhor geralmente...

– Eu tenho o sono muito leve, sabe? – ele a interrompeu. – É como se eu já tivesse dormido tudo o que podia durante a minha vida. Eu tenho 89 anos agora. Minha esposa só viveu até os 67. Aqui, tome mais uma fatia de bolo. Foi minha filha que preparou. Não, na verdade, foi a minha neta. Às vezes eu me confundo. Minha filha morreu. Naturalmente, ela não pode ter feito bolo nenhum!

Ele deu um sorriso sereno e despretensioso, como se, de repente, tivesse reconhecido que os anos não o atingiram, mas havia muito tinham passado por ele.

Perda de tempo. A inspetora Hanne Wilhelmsen terminou o café, agradeceu gentilmente a ele e encerrou a conversa.

– De que tipo de crime estamos falando? – ele perguntou em um interesse repentino quando os dois policiais pegaram seus capacetes e jaquetas de couro no corredor ao lado da porta de saída.

A investigadora Wilhelmsen se virou para ele e hesitou por um momento sobre se incomodaria o idoso afável com o lado escuro e brutal da cidade. Então, ela resolveu contar. Ele havia visto três vezes mais da vida do que ela.

– Estupro. Foi um estupro.

Ele estremeceu, abrindo os braços expressivamente.

– Aquela moça linda – ele concluiu. – Isso é terrível.

Fechando a porta após eles saírem, o idoso foi se juntar aos seus amigos de penas, retirando os panos das gaiolas.

Ele foi recompensado por uma cacofonia de agradecimento e colocou o dedo em uma das gaiolas para tocar o pássaro, sendo recebido com uma mordida amigável.

– Estupro. Isso é horrível – ele declarou para o papagaio, que mexeu as asas, totalmente de acordo. – Haveria alguém aqui no edifício que poderia pensar em fazer uma coisa dessas? Não, deve ter sido um estranho mesmo. Talvez tenha sido o homem do carro vermelho. Eu nunca tinha visto aquele moço antes.

Ele retirou o dedo da gaiola e caminhou até uma poltrona decorada e confortável, próxima à janela. Era ali que ele costumava se sentar quando as noites de insônia o tiravam de sua cama quente e aconchegante. A cidade era sua amiga desde que ele permanecesse a salvo dentro de casa. Ele tinha vivido naquele apartamento por toda a vida, viu quando cavalos e carroças foram substituídos por barulhentos carros motorizados, quando as lâmpadas a gás sucumbiram às vantagens das luzes elétricas e o saibro foi coberto pelo asfalto cinza-escuro. Ele conhecia bem os vizinhos, pelo menos aqueles que podia ver pela janela do primeiro andar. Sabia quais eram os carros que ficavam no prédio e a quem pertenciam. O carro vermelho era o único que ele nunca tinha visto. Ele também não conhecia o jovem alto e de boa aparência que havia saído nas primeiras horas do dia. Devia ter sido ele.

Permaneceu sentado ali durante algum tempo, repousando. Depois, foi até a cozinha, sem fazer barulho, para aquecer uma sopa.

∴

Nenhum dos vizinhos havia escutado qualquer coisa. Ou visto qualquer coisa. A maioria deles notou a presença da polícia na manhã de domingo. Rumores circulavam pelo prédio, e todos tinham um pouco mais para contar do que o velho homem gentil. Entretanto, não havia nada que fosse do interesse da polícia: apenas anedotas que os moradores tinham ouvido um do outro, histórias fantasiadas ao longo dos degraus da escadaria com muito aceno de cabeça e descrença, especulação e afirmações recíprocas de que todos teriam que ficar mais alertas no futuro.

Kristine Håverstad não estava em casa. Hanne Wilhelmsen sabia disso. No entanto, ela tocou a campainha por razões de segurança, esperando alguns segundos antes de entrar. A moça tinha dado as chaves à investigadora e avisado que ela passaria um tempo na casa do pai. Quanto tempo, ela não sabia.

O apartamento estava arrumado e limpo. Era um apartamento confortável. Não era grande, por isso os dois policiais fizeram uma rápida pesquisa: um passa-prato entre a sala de estar e a cozinha, com um quarto moderadamente grande com uma mesa de trabalho em um dos cantos. Os cômodos levavam a um longo hall, tão estreito que poderia ser considerado um mero corredor. O banheiro era tão pequeno que seria possível sentar-se no vaso, usar o chuveiro e escovar os dentes ao mesmo tempo. Não havia uma única sujeira ali e tinha cheiro de desinfetante de pinho.

Os peritos já tinham examinado o local, e Hanne Wilhelmsen sabia que não encontraria nada significativo. Ela estava apenas curiosa. As roupas de cama tinham sido levadas, mas a colcha estava arrumada, no lugar. A cama não era de casal, mas também não era estreita a ponto de não haver espaço suficiente para duas boas amigas. O móvel era feito de pinho, com uma pequena protuberância decorativa em cima de cada pé. Bem abaixo dos adornos dos pés da cama, ela observou que as superfícies estavam irregulares e escuras. Então se agachou e passou o dedo por elas. Farpas minúsculas de madeira espetaram seu dedo. Suspirando profundamente, ela saiu do quarto e se dirigiu para a porta da sala.

– O que você está procurando? – Erik tentou saber.

– Nada – a investigadora Hanne Wilhelmsen respondeu, passando os olhos despretensiosamente pelo local a fim de enfatizar o que havia afirmado.

– Não estamos procurando nada. Só estou dando uma olhada neste apartamento onde Kristine Håverstad jamais conseguirá ficar novamente.

– Isso é terrível – murmurou o jovem rapaz.

– É pior que isso – Hanne falou. – É muito pior que isso.

Trancando a porta ao saírem, com os dois fechos de segurança, eles seguiram o longo percurso de volta para a delegacia. O ruivo Erik estava em êxtase. Ao final da jornada, ele não sabia por qual das duas estava mais apaixonado: Hanne Wilhelmsen ou a grande Harley de cor rosada.

TERÇA FEIRA, 1º DE MAIO

Kristine Håverstad estava tentando criar coragem, mas não conseguia reunir forças. Era tudo a mesma coisa para ela. Ela não precisava de um advogado. Ela não precisava de nada. Ela só queria ficar em casa, em casa com o pai. Ela só desejava trancar todas as portas e assistir à televisão. De qualquer forma, não queria um advogado, mas a investigadora insistiu. Ela deu a Kristine uma lista de nomes do que ela chamava de "consultores da parte lesada" e cautelosamente comentou que Linda Løvstad seria uma boa opção. Quando ela recusou, dando de ombros, Hanne Wilhelmsen telefonou para a advogada em nome de Kristine. A vítima poderia comparecer no escritório de Løvstad até às 10h30 da manhã seguinte.

Agora ela estava do lado de fora do endereço fornecido, tentando se estruturar. A placa tinha fissuras onde estavam os nomes dos advogados; no entanto, era possível ler: "Advogados Andreassen, Bugge, Hoel e Løvstad, primeiro andar." Escrito em preto sobre um latão gasto.

Um cão se aproximou dela, abanando o rabo, quando ela abriu a porta de vidro do primeiro andar. Ela hesitou, mas foi novamente encorajada por um homem que não poderia ser advogado, a julgar pelo traje. Jeans surrado e tênis. Sorrindo, ele segurou a coleira do cachorro e repreendeu o animal a caminho do trabalho. Dentro do longo corredor, estava outro grande cachorro cinza-carvão, com cabeça entre as patas e uma expressão triste, como se implorasse piedade a ela. Uma mulher magra e bem-vestida em uma recepção central apontou a ela o longo corredor em direção ao cão cinzento tristonho.

– A segunda porta no final, à esquerda – a jovem orientou, sorrindo, em voz baixa.

– Entre – ela ouviu antes que pensasse em bater na porta.

Talvez o homem com o primeiro cachorro fosse mesmo um advogado. Linda Løvstad não usava tênis, mas sandálias, jeans e uma blusa que Kristine reconheceu como sendo da loja de departamentos Hennes & Mauritz. O escritório não ostentava itens notoriamente luxuosos também. Além do mais, havia um terceiro cachorro em um canto. Talvez fosse uma precondição para se trabalhar ali – ter um cachorro. Esse era um vira-lata magricelo, feio e preto, com lindos olhos enormes.

Uma grande mesa curva dominava o espaço. As modestas estantes de livros estavam esparsamente preenchidas e, sobre o chão, apoiado a uma prateleira do armário embutido, estava um grande e engraçado gato de pano. Não era bonito, muito menos divertido, mas combinava com o carro de polícia de brinquedo, com as figuras baratas presas com clipes e com as marias-sem-vergonha dentro de um vaso branco, que contribuíam para tornar o lugar menos intimidante.

Levantando-se, a advogada estendeu a mão para cumprimentar Kristine assim que ela atendeu à solicitação para entrar. Era alta e magra como um ancinho e achatada como uma tábua; o cabelo era loiro claro e esvoaçante, que ela tentava, sem sucesso, deixar mais volumoso ao amontoar os fios em uma espécie de topete. Seu rosto, no entanto, era amigável; ela tinha um sorriso atraente e um firme aperto de mão. A advogada ofereceu um café e, em seguida, pegou uma pasta marrom-clara vazia e começou a escrever os dados pessoais da vítima.

Kristine Håverstad não tinha ideia do que estava fazendo ali. De modo algum, seria capaz de relatar tudo o que aconteceu mais uma vez.

A mulher era uma vidente.

– Você não precisa me contar sobre o estupro – ela assegurou. – Eu vou pegar a documentação com a polícia.

Um silêncio se instalou, embora não fosse desconfortável. Era, na verdade, acolhedor. A advogada olhou para Kristine com um sorriso, folheando alguns papéis que não poderiam estar relacionados a ela, talvez esperando que a moça dissesse algo. Kristine permaneceu sentada com os olhos no gato de pano, esfregando o braço da cadeira com as mãos. Quando a advogada ainda estava quieta, lendo, Kristine encolheu os ombros imperceptivelmente e olhou para o chão.

– Você procurou ajuda? Um psicólogo ou coisa parecida?

– Claro. Uma assistente social, para ser sincera. Mas ela é boa também.

– Está ajudando?

– Não parece, no momento. Mas sei que é importante. Pensando a longo prazo, imagino. Até agora eu só falei com ela uma única vez. Ontem.

A advogada Løvstad balançou a cabeça, de forma a encorajá-la.

– Meu papel é um tanto limitado. Eu atuarei como um tipo de elo entre você e a polícia. Se você tiver qualquer dúvida, entre em contato comigo. A polícia continuará a me manter informada. Geralmente eles não são muito conscienciosos quanto a isso, mas você deu sorte com a investigadora que pegou o seu caso. Ela costuma dar seguimento às ocorrências.

Nesse momento, ambas sorriam.

– É, ela parece boa – a cliente reconheceu.

– E depois eu a ajudarei com a indenização.

A moça ficou aturdida.

– Indenização?

– Sim, você tem direito a uma indenização. Tanto por parte do criminoso quanto pelo Estado. Existem acordos especiais para esse tipo de acontecimento.

– Eu não estou interessada em nenhum tipo de indenização!

Kristine Håverstad ficou surpresa com sua reação exagerada. Indenização? Como se alguém em algum momento pudesse dar a ela uma quantia em dinheiro suficiente para amenizar todo o dissabor e apagar aquela noite horrível que virou a sua vida inteira de cabeça para baixo. Dinheiro?

– Eu não quero nada!

Se as lágrimas não tivessem secado, ela teria começado a chorar. Ela não queria dinheiro. Se pudesse escolher, gostaria de ter um aparelho de vídeo com sua vida disponível para gravação. Voltaria os dias e iria para a casa do pai naquele sábado em vez de ser arrasada em seu próprio apartamento. Mas ela não tinha opção.

O lábio inferior e o queixo dela começaram a tremer incontrolavelmente.

Suas últimas palavras foram cuspidas como comida estragada.

– Calma aí.

A advogada se inclinou para frente, sobre a enorme mesa, e olhou para ela.

– Nós podemos conversar a respeito disso mais tarde. Talvez você continue pensando da mesma maneira; se for assim, ninguém a forçará a nada, claro. Talvez você mude de ideia. Deixemos assim por enquanto. Você precisa de alguma ajuda por hora? Qualquer coisa?

A alta e esguia mulher olhou para a sua consultora de apoio à vítima por alguns estáticos segundos. E, não conseguiu mais se controlar. Ela se debruçou sobre a mesa e envolveu a cabeça com os braços. O cabelo cobriu o rosto. Durante meia hora, ela soluçou de pesar sem lágrimas, enquanto a advogada não podia fazer nada além de consolar sua cliente, afagando-lhe as costas e sussurrando palavras de consolo.

– Se ao menos alguém pudesse me ajudar – suspirou a jovem. – E se alguém pudesse ajudar meu pai.

Depois de muito tempo, ela se sentou novamente.

– Eu realmente não quero me envolver com a polícia. Eu não me importo se eles vão prender o homem que fez isso. Tudo que eu quero...

Ela foi tomada pelo pranto novamente, mas dessa vez se manteve ereta.

– Eu só quero auxílio. E alguém para ajudar meu pai. Ele não fala comigo. Ele me cerca o tempo todo sem saber o que fazer para me dar apoio, mas ele... não diz nada. Eu temo que ele possa...

E então ela foi dominada pela emoção mais uma vez. Quinze minutos depois, pela primeira vez em sua carreira relativamente curta, Linda Løvstad teve que chamar uma ambulância para atender um cliente.

※

Eles não estavam muito satisfeitos com o retrato, mas decidiram publicá-lo mesmo assim. Aquilo teria que dar algum resultado, pelo menos eles tinham mais de 50 suspeitos agora. Talvez fosse pelo fato de o esboço ser tão desprovido de detalhes: características indistintas, um rosto vago, uma sombra sem identidade.

A investigadora Hanne Wilhelmsen segurou o jornal com os braços estendidos, inclinando a cabeça.

– Pode ser qualquer um mesmo – ela declarou. – Sem pensar muito, podem ser quatro ou cinco homens diferentes que eu conheço.

Com os olhos semicerrados, ela disse:

– Parece você, Håkon! Ele se parece com você também.

Ela deu risada e deixou que ele arrancasse o jornal das mãos dela.

– É claro que não – ele protestou, sentindo-se insultado. – Eu não tenho esse rosto redondo. Meus olhos são mais separados também. Além do mais, eu tenho mais cabelo.

O jornal foi amassado com vontade e jogado no cesto de lixo.

– Se é assim que você vai conduzir esta investigação, eu entendo por que ninguém acredita que vamos resolver o caso – ele falou, ainda zangado. – Sinceramente...

Ela não desistiu. Pegou o jornal amassado novamente, com seus dedos longos e delicados e unhas pintadas com esmalte claro.

– Olhe para este retrato. Não poderia ser qualquer homem? Estas imagens realmente não deveriam ser publicadas. Ou a vítima se fixa em uma única particularidade, então ao homem é atribuído um nariz absurdamente grande, e nós acabamos sem nenhuma pista concreta ou todos se parecerão com este. Será como um cara qualquer. Um homem norueguês.

Eles ficaram olhando para a figura do homem anônimo norueguês com rosto insignificante por um bom tempo.

– Sabemos se ele é norueguês?

– Não temos absoluta certeza, mas ele fala a língua fluentemente e parece norueguês. Presumimos que seja.

– Contudo, ele estava supostamente bastante bronzeado...

– Agora você está forçando a barra, Håkon. Já existem racistas o suficiente por aqui sem você ficar tentando se convencer de que um loiro falando o dialeto de Oslo seja marroquino.

– Mas eles cometem muito mais estupros...

– Pare com isso, Håkon.

Hanne foi até um pouco agressiva. De fato, os norte-africanos estavam acima da média nas estatísticas de estupro. Era verdade que os estupros relacionados a eles eram particularmente perversos. Realmente, ela mesma se deparava com os próprios preconceitos vez ou outra, como resultado de demasiados encontros com homens encantadores, mas desprezíveis, de cabelos encaracolados que mentiam de forma deslavada, mesmo sendo pegos literalmente com as calças abaixadas, e todo norueguês naquela situação teria completado a explicação:

"Sim, é verdade, nós estávamos transando, mas ela consentiu."

Ela sabia de tudo isso. Todavia, expressar tal pensamento em voz alta era muito diferente.

– Quais são os índices ocultos para estupros "noruegueses" na sua opinião?

Ela fez aspas com os dedos ao mencionar a palavra "noruegueses".

– Aqueles estupros que ocorrem após uma noitada na cidade, em festas de escritório, pelos próprios maridos... chame como quiser! É aí que estão os índices escondidos nas estatísticas. Toda mulher sabe que não adianta processar. Enquanto os estupros mais "comuns..."

Ela fez aspas com os dedos novamente.

– ... os abusos torpes, cometidos pelos horríveis agressores de pele escura, aqueles que não são daqui, que todos sabem que a polícia está lá fora pronta para prender... esses são os relatados.

Fez-se silêncio. Sentindo-se atacado, Håkon sorriu, constrangido e na defensiva.

– Eu não quis dizer isso.

– Não, eu sei. Mas você não deveria dizer isso. Nem de brincadeira. De uma coisa eu tenho certeza.

Transpirando e decepcionada, ela se levantou, debruçou-se sobre a janela e fez um esforço para abri-la ainda mais. As novas cortinas esvoaçaram levemente, mais por causa dos movimentos dela que por influências externas.

– Deus Todo-Poderoso, como está quente!

Não adiantou. A janela se fechou novamente, deixando uma abertura de dez centímetros, o que não era nada bom. Deveria estar uns 30° ali.

– De uma coisa eu tenho certeza – ela repetiu. – Se todos os estupros que acontecem neste país fossem denunciados, ficaríamos horrorizados com duas coisas.

Håkon Sand não entendeu o porquê de ela ter feito uma pausa. Talvez para dar a ele a oportunidade de adivinhar quais seriam as duas coisas que deixariam todos horrorizados. Em vez de correr o risco de dizer outra coisa estúpida, ele aguardou o fim do silêncio dela.

– Primeiro: a quantidade de estupros que acontecem. Segundo: os estrangeiros ocupariam, nas estatísticas, praticamente o número correspondente ao sugerido pela sua proporção populacional. Nem mais nem menos.

Ela reclamou do calor de novo.

– Se essa temporada de altas temperaturas não terminar logo, eu enlouqueço. Acho que vou dar uma volta. Quer vir comigo?

Com um olhar atemorizado, ele recusou o convite sem rodeios.

Outra viagem de moto ainda estava fresca em sua memória: um passeio perigoso e congelante por Vestfold no final do outono, seis meses atrás, com Hanne Wilhelmsen pilotando e ele de olhos fechados, encharcando a garupa. Nessa ocasião, a jornada tinha sido uma questão de vida ou morte. Seu primeiro passeio de moto e, decididamente, seu último.

– Não, obrigado. Prefiro pular no lago – ele respondeu. Eram 16h30. Eles podiam realmente ir para casa.

– Francamente, você deveria começar a verificar as pistas – ele acrescentou de forma branda.

– Farei isso amanhã, Håkon. Amanhã.

O desespero o consumia. Ele estava sentado como se um rato cinza desagradável o roesse por dentro, em algum lugar no peito. Desde domingo de manhã, ele tinha bebido duas garrafas de antiácido de laranja, que não faziam efeito. O rato obviamente gostava do sabor e continuou corroendo-o com a energia revigorada. Não importava o que ele fizesse, não importa o que ele dissesse: nada ajudava. Sua filha não queria falar com ele. É verdade, ela queria ficar ali, na sua casa de infância, dormindo na sua cama de infância. Ele encontrava um pouco de conforto naquilo, no fato de que ela, possivelmente, sentisse alguma segurança ao tê-lo por perto. Mas então ela não falava.

Ele tinha ido buscar Kristine na clínica de emergência psiquiátrica. Quando a viu sentada, exausta, com olhos melancólicos e ombros caídos, tal cena fez com que ele se lembrasse de sua esposa 20 anos atrás. Naquela época, a jovem sentara-se do mesmo jeito, com o mesmo olhar vago, o mesmo comportamento sem esperança e lábios inexpressivos. Ela tinha acabado de ouvir que iria morrer, deixaria para trás o marido e a filha de apenas 4 anos de idade. Então, ele ficou furioso. Praguejou, gritou e levou sua esposa para consultar todos os especialistas do país. No final, ele tinha pegado uma soma considerável de dinheiro emprestado de seus pais e empregado na esperança vazia de que especialistas nos Estados Unidos, a terra prometida para todos que exercem a medicina, seriam capazes de alterar o diagnóstico cruel, tão pesarosamente concluído por 14 médicos noruegueses. O único resultado obtido com a jornada foi a jovem esposa morrer longe de casa, e ele passar a viagem de volta com sua amada em um compartimento refrigerado no porão da aeronave.

Criar a pequena Kristine sozinho foi difícil. Ele era um dentista recém-formado em uma época em que a profissão, que já tinha sido lucrativa, tornara-se menos rentável, após 20 anos de serviços públicos social-democratas na área de odontologia. No entanto, a situação fora administrada. A metade da década de 70 foi marcada pela luta a favor da libertação feminina, algo que, paradoxalmente, serviu para dar assistência a ele. Um pai sozinho, insistindo em cuidar de sua filha, foi favorecido por todos os tipos de programas especiais implementados pelo poder público, ele também contou com a enorme compaixão de todos com quem teve contato, bem como com o apoio de colegas e vizinhos do sexo feminino. Eles conseguiram.

Não houve muitas mulheres. Um relacionamento ocasional, certamente, mas nunca com duração prolongada. Kristine tinha presenciado isso. Nas três ocasiões em que ele se atreveu a introduzir a ideia de um novo casamento, ela chorou, não fazendo o menor esforço para concordar. E ela sempre ganhava. Ele amava a filha. Naturalmente, ele entendeu que todos os homens amam seus filhos e, do ponto de vista puramente racional, notou que ele não era diferente do resto da população masculina da Noruega. Emocionalmente, no entanto, ele insistia para si mesmo e para o seu círculo de amigos que a relação entre ele e sua filha era especial. Eles tinham apenas um ao outro. Ele havia sido pai e mãe para ela. Ele cuidava da filha quando ela ficava doente, garantia que ela tivesse roupas sempre limpas e a consolou no momento em que ela, adolescente, sofreu ao romper seu primeiro namoro, que durou três semanas. Quando, aos 13 anos de idade, num misto de alegria e terror, mostrou ao pai a calcinha manchada de sangue, foi ele quem a levou a um restaurante para comer filé acompanhado por vinho tinto diluído para celebrar o fato de sua filhinha estar se tornando mulher. Por dois anos, ele negou todos os pedidos insistentes para comprar um sutiã, uma vez que as picadas de mosquito a serem cobertas pelo vestuário eram tão insignificantes que qualquer sutiã pareceria cômico. Ele sentia o prazer solitário de ver o brilhante desempenho escolar da filha e também sofreu sozinho com a amargura de ela preferir comemorar a aprovação na faculdade de medicina em Oslo com os amigos, quatro anos depois.

Ele amava a filha, mas não conseguia fazer parte do mundo dela. Quando foi buscá-la, ela o acompanhou por vontade própria e havia pedido ao médico da emergência para ligar para o pai. Portanto, ela quis ir para casa. Para ele. Todavia, ela não disse nada. Tentou aturdidamente pegar na mão dela dentro do carro a caminho de casa, e ela permitiu que ele fizesse isso. No entanto, não houve resposta, a não ser uma mão inerte aceitando passivamente seu afago. Nenhuma palavra foi pronunciada. Quando chegaram em casa, ele tentou agradá-la com uma refeição: pão assado na hora, recheios de sanduíche de que ele sabia que Kristine gostava, carne assada, salada de camarão e o melhor vinho tinto que possuía. Ela bebeu o vinho, mas não tocou na comida. Depois de tomar três taças, ela levou o restante da garrafa com ela, desculpou-se educadamente e foi para o quarto.

Isso fora há três horas. Não se ouvia um som sequer de seu quarto. Ele se levantou do sofá. O móvel era americano, baixo, extremamente macio e volumoso. As velas, palidamente tremulantes durante aquela noite de primavera, crepitavam, enquanto a cera diminuía. Ao chegar à porta do quarto da menina, ele ficou imóvel por vários minutos antes de se atrever a bater. Não houve resposta. Hesitando por um tempo, resolveu deixá-la em paz.

Ele foi para a cama.

Em seu quarto de menina, pintado de amarelo e decorado com cortina xadrez, Kristine Håverstad sentou-se com um ursinho de pelúcia no colo e uma taça de vinho vazia à sua frente, sobre uma mesa pintada de branco. A cama era estreita, e a moça sentiu cãibras nas pernas por ter ficado na posição de lótus por um longo tempo. Kristine não se incomodou com as cãibras, que foram pouco a pouco se tornando mais desconfortáveis, e aproveitou para ponderar sobre quão ferida ela realmente estava. Tudo o mais havia passado, ela só sentia o formigamento e a dor de seus membros, que protestavam pela falta de sangue durante um longo período. Finalmente ela não conseguiu mais suportar e se deitou na cama para esticar as pernas. A dor foi ainda mais excruciante quando voltou a sentir as panturrilhas. Ela segurou uma das pernas com as mãos, apertando-a com força até surgirem lágrimas nos olhos. Tudo isso para prolongar os espasmos. Kristine certamente não podia continuar daquela maneira.

Depois de um tempo, ela soltou, e a dor no peito veio à tona novamente. O peito estava completamente oco por dentro, um enorme espaço vazio com uma dor indefinida. Uma sensação que não parava de girar, ia cada vez mais rápido e, no fim, ela se levantou e foi buscar a pequena caixa de comprimidos prescritos pelo médico da emergência. Valium, 2 mg. Uma pequena embalagem. Cada comprimido representava uma esperança de trégua, em algum grau. Uma espécie de feitiço. Ela ficou de pé durante um bom tempo, segurando a caixa na mão esquerda. Em seguida, foi até o banheiro, ergueu o assento do vaso sanitário e jogou as pílulas dentro do pálido azul da água clorada. Elas flutuaram na superfície, balançando suavemente, antes de afundarem lentamente, uma a uma, para as profundezas da porcelana e desapareceram. Ela puxou a descarga. Duas vezes. Então, lavou bem o rosto com água fria antes de ir para a sala de estar. Estava escuro. Apenas uma pequena luz sobre o aparelho de televisão era visível, formando um brilho amarelo pálido sobre os tapetes macios na entrada do cômodo. Ela pegou uma garrafa de vinho tinto na cozinha, em silêncio, para não acordar o pai, como se ele estivesse dormindo. Ela permaneceu sentada na melhor cadeira, na velha poltrona de seu pai, até esvaziar aquela garrafa também.

Então ele apareceu na porta. A figura alta, com os ombros caídos e os braços abertos, estendidos dentro do pijama, em um gesto de impotência. Nenhum dos dois pronunciou uma palavra. Ele ficou hesitante por um bom tempo, finalmente entrou no cômodo e agachou-se ao lado dela.

– Kristine – disse ele suavemente, só para dizer alguma coisa e não porque tivesse algo a dizer. – Kristine. Minha menina.

Ela queria muito responder. Mais do que qualquer coisa no mundo, ela desejava estabelecer um elo com ele, resignar-se e deixar que ele a consolasse e confortá-lo também. Dizer a ele que sentia muito pela dor que ela havia causado, por tê-lo desapontado e por ter estragado tudo ao ser estuprada. Ela queria poder varrer esses últimos dias terríveis, ter 8 anos de idade e ser feliz novamente, permitir que ele a jogasse no ar e depois a segurasse. Porém, ela simplesmente não podia. Nada, nem ninguém poderia fazer com que tudo ficasse bem de novo. Ela tinha destruído a vida dele. Tudo que podia fazer era tocar o rosto dele com seu dedo fino, desde a pele macia na lateral da cabeça, passando pela bochecha áspera, com a barba por fazer, até o queixo repartido.

– Papai – ela falou, quase como um sussurro, e se levantou. Cambaleou um pouco, mas recuperou o equilíbrio e retornou para o quarto. Já na porta, ela se virou e notou que ele ainda estava ali, agachado, com as mãos no rosto. Ela fechou a porta e se deitou, totalmente vestida, em sua cama. Depois de apenas alguns minutos, ela estava em um sono profundo e sem sonhos.

QUARTA-FEIRA, 2 DE JUNHO

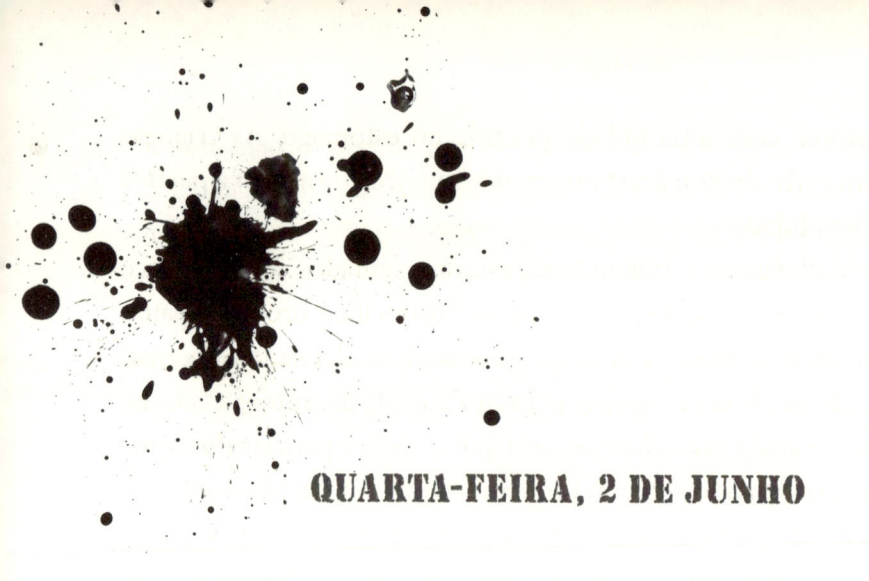

A ladeira pavimentada que ligava a delegacia de Grønlandsleiret à de Oslo estava movimentada. As pessoas iam e vinham. Alguns táxis subiam e desciam rapidamente, esquivando-se de tudo, de homens usando ternos a caminho de reuniões com indivíduos importantes nos andares superiores a senhoras de pernas finas andando desajeitadamente, em seus calçados de caminhada a fim de prestarem raivosos e conturbados depoimentos a respeito de poodles desaparecidos. O sol brilhava incessantemente, e os dentes-de-leão nas pradarias estavam ficando brancos. Até mesmo a prisão de Oslo parecia bonita no meio da avenida repleta de álamos, como se o infame trapaceiro da TV, Egon Olsen, fosse surgir nos portões a qualquer momento, cantarolando, pronto para planejar o próximo assalto. Pessoas seminuas estavam esparramadas ou sentadas em todos os diferentes pontos possíveis entre os prédios, alguns aproveitavam a hora do almoço, outros eram desempregados ou donas de casa desfrutando a única área verde do distrito de Gamle Oslo. Alguns garotos de pele morena jogavam futebol, incomodando qualquer cidadão que estivesse tomando um banho de sol ocasional com uma bolada perdida no estômago. As crianças gargalhavam e não demonstravam a menor intenção de mudar a partida para outra localidade.

Hanne Wilhelmsen e Håkon Sand estavam sentados em um banco ao lado do muro. Hanne dobrou a calça acima do joelho e tirou os sapatos. Ao olhar de relance, Håkon notou que ela não tinha depilado as pernas. Tudo bem, como ela tinha apenas pelinhos curtos, femininos e suaves, que a tornavam ainda mais charmosa do que se tivesse pernas reluzentes. A pele dela já tinha adquirido um bronzeado com um tom dourado.

– Você observou uma coisa? – Håkon Sand perguntou, com a boca cheia de comida. Ele continuou a mastigar e, em seguida, dobrou o papel encerado ordenadamente e bebeu o resto do conteúdo da caixa de leite.

– Você já notou que não houve um massacre no sábado à noite desta vez? Quero dizer, no último sábado à noite.

– Sim.

A investigadora Hanne Wilhelmsen tinha terminado seu modesto almoço há muito tempo. A refeição consistia em um iogurte e uma cenoura média. Incrédulo, Håkon perguntou se ela estava de dieta, mas ela não respondeu.

– Sim, eu já pensei nisso – reconheceu mais uma vez.

– Estranho. Talvez os engraçadinhos tenham se cansado da brincadeira. Ao menos conseguimos manter a história fora dos jornais. Deve perder a graça depois de um tempo, tanto empenho só para nos irritar.

Ele provavelmente estava querendo mais. Isto é: se a teoria sobre o brincalhão for verdade.

– Talvez ele simplesmente não tenha conseguido arranjar sangue...

– Sim, talvez seja isso.

A bola de futebol fez um arco na direção deles. Hanne se esquivou e pegou o objeto com um sorriso, então se virou para seu colega.

– Gosta de jogar?

Um gesto de desprezo enfático acabou com qualquer esperança de ver Håkon Sand jogar futebol com os meninos paquistaneses. Hanne chutou a bola para trás e gemeu. Ela se sentou, massageando o peito do pé.

– Fora de forma.

– O que você realmente pensa sobre esse caso? – Håkon Sand perguntou.

– Para dizer a verdade, eu não sei. Tenho esperança de que seja apenas uma brincadeira maluca. Entretanto, eu não estou gostando disso. Seja como for, o sujeito teve muito trabalho.

– Ou a moça.

– Honestamente, eu não acredito que uma mulher faria algo desse tipo. É algo... mais masculino. Todo aquele sangue.

– Mas, e se não for mesmo um trote? E se esses três lugares tiverem sido cenários de crimes reais? E se...

– Você não tem mais o que fazer, Håkon? Precisa perder tempo com "e se"? Neste caso, você vai ter muita coisa para se manter ocupado no futuro, isso é certo.

Ligeiramente irritada, ela vestiu as meias e os sapatos e desenrolou a calça.

– A hora do recreio acabou. Precisamos voltar ao trabalho – ela insistiu.

Eles caminharam para a delegacia. Uma monstruosidade dourada pendurada no teto devido a uma fracassada tentativa de decorar a enorme entrada parecia prestes a desabar por causa do calor. O sol refletia com tanta intensidade que doía nos olhos.

"Não seria uma grande perda se todo esse lixo desabasse", Hanne Wilhelmsen pensou.

Então, ela pegou o elevador e foi para o segundo andar. As especulações de Håkon sobre os massacres de sábado à noite consumiam seus pensamentos, o que era imensamente irritante. Ela tinha agora cinco casos de estupro, sete agressões e uma suspeita de incesto para investigar. Era mais que suficiente. É verdade que havia um grupo especial para lidar com pedofilia, mas, durante aquela primavera absurda, parecia que os pequenos tinham se tornado ainda mais valiosos como objetos sexuais. Todos tiveram que assumir uma parte da carga. E o caso incumbido a ela era do tipo que normalmente seria posto de lado. Clinicamente, não havia sinal de qualquer violência. Não importava que o comportamento da criança tivesse mudado completamente, para total desespero da mãe e do jardim de infância, além de um psicólogo ter declarado, com um grau elevado de certeza, que algo havia acontecido. Independentemente disso, nada era conclusivo, nem aqui nem na China.

"Algo" não era muito específico do ponto de vista legal. Além disso, não investigar um pouco mais profundamente conflitava com seus instintos mais íntimos de policial. Durante o inquérito, a criança havia falado bastante, mas ficou completamente em silêncio quando Hanne cuidadosamente tentou persuadi-la a contar o nome da pessoa com o "xixi estranho, parecendo leite." Outra revisão judicial seria sua última tentativa, mas isso teria que esperar. Pelo menos algumas semanas.

E se...

Hanne Wilhelmsen estava sentada com os pés sobre a mesa, com as mãos atrás da cabeça e olhos semicerrados.

E se algo realmente tivesse acontecido no depósito em Tøyen, na cabana dos operários ao lado do Rio Lo e no estacionamento em Vaterland? Nesse caso, era algo grotesco. O sangue não poderia vir de uma única pessoa. Três ou quatro pessoas terem encontrado seus destinos cruéis em cada um desses lugares era tão improvável que, ao menos por ora, ela tinha que excluir tal possibilidade.

Ela levou um susto quando o chefe de polícia Kaldbakken entrou na sala e sacudiu os pés dela na mesa.

– Não tem trabalho para fazer, Wilhelmsen? – ele resmungou. – Tudo que você precisa é falar comigo, então você vai ter mais do que o suficiente para se manter ocupada!

– Não, obrigada mesmo.

Apesar do olhar severo de seu chefe e da situação desconcertante na qual ela tinha acabado de ser flagrada, ela sabia que ele estava ciente de tudo.

– Eu tenho o bastante. Todos nós temos.

O chefe se sentou.

– Você já fez algum progresso com o estupro de sábado? O da senhorita estudante de medicina?

O chefe de polícia Kaldbakken devia ser uma das únicas pessoas a chamar alunas de senhoritas. E havia rumores de que ele ainda usava seu boné de aluno no dia 17 de maio também.

– Não, nada significativo, só o de sempre. Ninguém viu nada, ninguém ouviu nada. Tudo que ela consegue fazer é dar uma descrição vaga. Você viu o retrato, parece com todo mundo e com qualquer um. Recebemos cerca de 50 denúncias, e Erik as está averiguando. Nenhum deles parece especialmente interessante. Pelo menos é o que ele diz. Eu mesma vou dar uma olhada neles.

– Eu não gosto disso.

Ele limpou a garganta e depois tossiu por uns quatro minutos.

– Você tem que parar de fumar, Kaldbakken – ela disse em voz baixa, notando que ele deveria estar no penúltimo estágio do enfisema.

Ele precisava parar. Realmente.

– Isso é o que a minha esposa fala também – ele respondeu com falta de ar.

Ele terminou o acesso de tosse com um pigarro vigoroso, produziu uma grande quantidade de muco de consistência asquerosa. Um gigantesco lenço bastante usado foi levado à boca e ficou sujo com o material.

Hanne Wilhelmsen se afastou delicadamente, admirando dois pardais bicando um ao outro no peitoril da janela. Deveria estar quente demais para eles também.

– Eu não gosto disso – ele repetiu. – Estupros raramente acontecem só uma vez. Você já obteve algum retorno da perícia?

– Não, ainda é muito cedo. Normalmente leva semanas para conseguir qualquer coisa deles.

– Cobre, Wilhelmsen, cobre deles. Estou muito preocupado.

Com um esforço tremendo, ficou de pé, tossiu todo o percurso de volta ao escritório.

QUINTA-FEIRA, 3 DE JUNHO

Não era fácil tirar um dia de folga, assim, de repente. No entanto, seus dois colegas foram extremamente compreensivos e demonstraram boa vontade ao acomodar seus pacientes com a maior rapidez. Foi uma perda financeira. Por outro lado, fazia muitos anos desde que ele tinha tirado férias propriamente ditas.

Férias e mais férias. Ele tinha algo importante para realizar. Ele ainda não sabia muito bem por onde deveria começar. Então, começou com um mergulho. Os banhos estavam surpreendentemente cheios, mesmo às 7 horas da manhã. O miasma clorado pairava densamente sobre os nadadores, provavelmente tinha sido recém-colocado.

Alguns pareciam ser frequentadores assíduos, cumprimentavam uns aos outros e conversavam na beira da piscina. Outros se concentravam em um propósito, nadavam de uma ponta a outra na piscina de 50 metros de extensão sem prestar atenção a ninguém e sem olhar para ninguém. Eles apenas nadavam, nadavam e nadavam. Inclusive ele.

Depois de nadar 100 metros, estava exausto. Após percorrer 200 metros, percebeu que não estava enferrujado somente pelos anos, mas pelos vários quilos a mais em seu corpo também. A dificuldade começou a diminuir depois de mais duas voltas. Ele havia adquirido um ritmo que seu coração podia aguentar. Seu corpo era muito mais lento do que os outros que passavam constantemente por ele, espirrando água, indo e voltando, indo e voltando. A musculatura de seu tronco era cheia de sulcos, como densos vasos em miniatura. Ele havia apostado na moda do calção de banho extravagante. Após ter nadado 700 metros, sentia-se pronto. Começara o dia de maneira incrível. Não lembrava quando fora a última vez que teve tempo para nadar. Ao se dirigir para a borda da piscina, encolheu a barriga e estufou o peito. Esse gesto só durou o tempo de chegar aos vestiários, onde ele soltou o ar pela boca e permitiu que seu torso voltasse ao normal.

Relaxou na sauna. Os outros não pareciam estar como ele, o calor de quase 100 graus deixava a pele rosada. Enquanto estava sentado ali, com uma toalha enrolada de propósito em torno da cintura, decidiu que sua primeira atitude seria visitar o apartamento onde a filha morava. Tinha morado. Ele tinha que dar um fim àquele apartamento. O regresso dela para lá estava fora de cogitação. Mas ele não quis forçá-la a tomar uma decisão ainda. Eles tinham muito tempo. Por enquanto.

Sentiu-se limpo e mais leve do que seu peso de aproximadamente 100 quilos. Estava garoando do lado de fora, mas a cobertura delicada de nuvem não foi capaz de fazer baixar o termostato. O clima continuou muito quente para aquela época do ano. Mesmo na metade de julho, 18°C, às 8 horas, era impressionante. Nessa estação do ano era quase assustador. Talvez tivesse algo a ver com a camada de ozônio que tanto comentavam.

Com menos dificuldade do que de costume, ele entrou no carro, ilegalmente estacionado em uma vaga para pessoas com deficiência. A sessão de exercícios fora benéfica para ele. Ele devia fazer isso com mais frequência. Precisava entrar em forma.

Catorze minutos depois, ele encontrou uma vaga ampla o suficiente para estacionar a 50 metros de distância do prédio de sua filha. Olhando para o seu relógio novamente, ele percebeu que era um pouco cedo para incomodar alguém. Os moradores que iam para o trabalho certamente não teriam tempo para conversar com ele. Aqueles que estavam em casa, provavelmente não estariam em pé ainda. Para passar o tempo, ele pegou alguns tabloides em uma banca de jornal e entrou em uma padaria que tentava as pessoas com um delicioso aroma de pães e bolos frescos.

Após saborear três pãezinhos, um quarto de litro de leite e duas xícaras de café, já era tempo de começar. Dirigiu-se para o carro para inserir mais moedas no parquímetro antes de se aproximar do edifício. Pegando sua cópia das chaves, entrou no apartamento. Havia dois apartamentos por andar e cinco andares no total. Era mais fácil começar pelo térreo. A placa de porcelana artesanal anunciava que Hans Christiansen e Lena Ødegård moravam no apartamento do lado esquerdo. Ele ficou parado e, cheio de determinação, tocou a campainha. Ninguém respondeu. Tentou novamente, mas ainda sem obter resposta.

Não foi um bom começo. Bem, ele teria que voltar à tarde. Na porta em frente, não havia placa. Na entrada, notou que um estrangeiro vivia ali. Era impossível para ele saber se o nome era feminino ou masculino. Quem quer que fosse, obviamente não achou necessário substituir a placa de identificação que decorava a porta anteriormente, uma área visivelmente mais clara estava delineada na madeira, com um orifício de parafuso em cada extremidade.

Um zumbido audível soou de dentro do apartamento quando ele apertou a campainha, seguido pelo barulho de passos do outro lado da porta. Mas nada aconteceu. *Bzzzz.* Tentou novamente.

Ainda nenhuma reação, mas ele estava convencido de que havia alguém ali. Irritado, tocou mais uma vez, por um longo período. Grosseiramente longo, ele pensou, ao tocar novamente. Finalmente, a corrente da porta se mexeu, e a porta se abriu um pouco. A corrente impedia que ela se abrisse mais que dez centímetros. Dentro estava uma mulher. Ela era pequena, talvez tivesse pouco mais que 1,5 m de altura. Suas roupas eram deselegantes, baratas e, aparentemente, compostas por tecidos sintéticos. As vestes brilhavam e havia um ponto de luz brilhando aqui e ali.

A mulher parecia amedrontada.

– Você é da polícia?

– Não, eu não sou da polícia – ele respondeu, esforçando-se para sorrir o mais gentil e encorajadoramente possível.

– Você não é da polícia, você não entra – declarou a mulher pequena, tentando fechar a porta.

Rápido como um raio, ele colocou o pé na abertura minúscula, bem a tempo de evitar que a porta se fechasse completamente, mas se arrependeu de ter feito isso quando viu o pavor nos olhos dela.

– Calma! – ele falou desesperadamente. – Acalme-se, eu só quero conversar com você por um instante. Eu sou o pai de Kristine Håverstad, a garota que mora no segundo andar. Bem aqui em cima.

–Segundo andar – repetiu ele, tentando fazê-la entender.

Então, ele percebeu que havia cometido um erro.

– Primeiro andar, quer dizer. A minha filha. Ela mora no andar de cima.

Talvez ela tivesse acreditado nele. Quem sabe tivesse ocorrido a ela que seria improvável que alguém aparecesse para molestá-la às 9h30. Portanto, ela retirou a corrente e, com cautela, abriu a porta. Ele a olhou com hesitação, e ela fez um gesto para ele entrar.

O apartamento era extremamente modesto. Era idêntico ao de sua filha, mas parecia menor. Deveria ser por causa da falta de mobília. Um sofá tinha sido colocado próximo a uma das paredes da sala, mas não estava acompanhado por uma mesa de centro ou poltronas, portanto o cômodo não poderia realmente ser um espaço para lazer. Além disso, claramente o móvel também servia de cama, pois, quando ele olhou para o quarto, viu que estava completamente vazio, havia apenas duas malas dispostas em um canto. Na sala de estar, havia também uma pequena mesa de jantar e uma cadeira com encosto de madeira. Na parede em frente ao sofá, uma televisão velha, ainda em preto e branco, apoiada sobre uma mesa. Não havia nada no assoalho nem nas paredes a não ser uma grande fotografia colorida sem moldura de um homem ilustre com um nariz aquilino usando uma farda repleta de condecorações, ele reconheceu imediatamente o ex-xá da Pérsia.

– Você veio do Irã? – ele perguntou, feliz por ter encontrado um modo para iniciar o diálogo.

– Irã! Sim!

A mulher de baixa estatura sorriu submissamente.

– Eu sou do Irã, sim.

– Você fala norueguês ou prefere conversar em inglês? – ele prosseguiu, pensando se deveria sentar. Decidiu ficar em pé. Se ele se sentasse, ela teria que permanecer de pé ou sentar-se ao lado dele no sofá, o que ela certamente acharia desagradável.

– Eu compreendo o norueguês – ela respondeu. – Não falo tão bem, talvez.

– Eu acho que você se comunica muito bem – ele a encorajou.

Ficar em pé estava desconfortável, por isso ele mudou de ideia. Puxou a cadeira, colocou-a próxima do sofá e perguntou se podia se sentar ali.

– Sente-se, sente-se – ela falou, mais relaxada. Ela se sentou na ponta mais afastada do sofá.

– Como eu havia dito – ele deu início à conversa, limpando a garganta –, sou o pai de Kristine Håverstad, a moça que mora no andar de cima. Talvez você saiba o que aconteceu com ela no último sábado.

Era difícil falar sobre isso. Especialmente para uma pequena mulher estrangeira, vinda do Irã, que ele nunca tinha visto e provavelmente não veria de novo. Ele limpou a garganta mais uma vez.

– Estou apenas fazendo algumas perguntas por conta própria. Para o meu próprio bem, por assim dizer. Você já deve ter falado com a polícia.

A mulher concordou.

– Você estava aqui quando aconteceu?

Ela obviamente hesitou, e ele não entendeu muito bem por que ela decidira confiar nele. Talvez ela não compreendesse direito o ocorrido também.

– Não, eu não estava aqui naquela noite. Eu estava na Dinamarca no último fim de semana. Com amigos. Mas eu não contei isso para aquela senhora da polícia. Eu disse que estava dormindo.

— Certo. Você tem amigos na Dinamarca.

— Não. Não tenho amigos na Dinamarca. Não tenho amigos na Noruega. Mas tenho alguns amigos na Alemanha. Eu os conheci em Copenhague. Eu não os via há muito, muito tempo. Eu retornei para cá no domingo, já estava tarde.

A mulher não era bonita, mas tinha um rosto forte, simpático. A pele era muito mais clara do que a de outros iranianos que ele já tinha visto. De algum modo, ela era mais morena, mas seu cabelo não era negro como azeviche, embora não fosse castanho-escuro também. Era mais o que sua esposa costumava chamar de "cor local"; mesmo assim, os fios eram grossos e brilhantes. Ela tinha, ainda, olhos azuis!

Recorrendo a gestos e ao inglês, ela relatou sua triste história. Ela buscava asilo e tinha esperado longos 13 meses burocráticos para ter seu pedido para o santuário no Reino da Noruega processado.

Sua família, o pouco que restava dela, estava espalhada por todos os cantos. Sua mãe havia morrido de causas naturais, havia três anos, muito depois de seu pai ter fugido para a Noruega. Ele era um advogado do xá do Irã, e a família tinha levado uma vida de favorecimento. Eles ficaram em uma situação difícil quando o regime caiu. Dois de seus irmãos foram mortos nas prisões do aiatolá. Ela e a irmã estavam indo bem até um ano e meio atrás. Um colega de seu grupo foi capturado e, após três dias e três noites de tortura, não aguentou. No dia seguinte, ele foi morto. E, um dia após a morte dele, os soldados estavam na porta dela.

Ela tinha sido avisada e fugido pela fronteira em direção à Turquia com a ajuda de companheiros partidários que possuíam uma estrutura melhor que a dela. Da Turquia, ela pegou um avião para a Noruega e para o que ela imaginava que seria a vida com seu pai. Na chegada ao aeroporto, a polícia de imigração informou a ela que seu pai tinha morrido de ataque cardíaco havia três dias. Um advogado que fora designado para atendê-la assim que ela aparecesse no Centro de Apoio de Tanum em Bærum tinha descoberto que ela era a herdeira legal de uma pequena propriedade de seu pai, um apartamento totalmente quitado, cinco belos tapetes persas, alguma mobília e uma conta bancária com 40 mil coroas.

Ela vendeu os tapetes e os móveis, lucrando mais de 100 mil coroas, dinheiro que ela enviou para o Irã, na esperança de que sua irmã pudesse obter algum benefício com isso. No entanto, ela não recebeu nenhuma resposta, algo que já era de se esperar. Ela só podia torcer pelo melhor. As 40 mil coroas na conta bancária eram suficientes para que ela pudesse se manter. Dessa forma, ela não seria um peso para a sociedade norueguesa.

– Eu tive sorte. Não preciso viver em Tanum. Posso morar aqui. É melhor para mim.

A viagem para a Dinamarca fora ilegal, pois, uma vez que ela havia pedido asilo, sem passaporte, não podia ter deixado o país. No entanto, devido à sua aparência atípica, ela foi capaz de se passar por escandinava para os funcionários das alfândegas já sobrecarregadas. Não houve problema algum. Porém, também significava que ela não poderia fornecer a ele nenhuma informação que ele estivesse realmente procurando.

Ele se levantou.

– Bem, obrigado pela atenção. Boa sorte no futuro.

Na porta, ele parou e estendeu a mão.

– Espero que a polícia seja decente com você.

Ele não tinha certeza, mas teve a impressão de que uma expressão de inquietude tomou conta do rosto dela.

– Digo, eu espero que você consiga permissão para ficar no país – declarou mais precisamente.

– Eu também espero – ela respondeu.

Ele estava subindo para o próximo andar quando a porta se fechou. Ele escutou o barulho da corrente da porta sendo recolocada durante o percurso até o próximo andar. Parou por um momento no patamar, com uma sensação peculiar de que algo lhe tinha escapado. Alguns segundos depois, ele resolveu deixar isso de lado e tocou a campainha do próximo apartamento.

Quatro dias se passaram desde o estupro terrível em Homansbyen, e ela não estava nem perto de uma solução. Ao contrário. A investigadora Hanne Wilhelmsen, preocupantemente, tinha pouco a informar sobre seu trabalho com relação a esse caso. Sua frustração era imensa, ela não estava acostumada com isso.

Mas o que ela deveria fazer? Tinha passado a maioria dos dias interrogando testemunhas relacionadas a dois casos de agressão. Eles estavam atrasados, e as cartas dos advogados enfurecidos que cuidavam desses processos lideravam a pilha de documentos sobre os casos. Ela ainda precisava conduzir pelo menos mais cinco interrogatórios em um único caso, o mais sério de todos era um esfaqueamento em que a lâmina não atingiu a artéria principal na coxa da vítima por poucos milímetros. Quando ela encontrou tempo para conversar com as cinco testemunhas-chave, algo permaneceu sem solução.

O caso de incesto pendia sobre ela como uma dívida não paga, e o prazo já tinha expirado havia algum tempo. Na noite anterior, ela tivera insônia por causa da consciência pesada e dos pesadelos horríveis. Ela tinha marcado uma nova revisão judicial para antes do originalmente planejado. Aquilo levaria o dia todo. Primeiramente haveria uma visita domiciliar e uma etapa de "reconhecimento." Haveria limonada na cantina, uma volta num carro da polícia e um momento "confie-na-polícia". Ela não tinha um dia inteiro. Ela não tinha nem a metade de um dia.

A pilha de documentos à sua frente a deixava nauseada. Se os habitantes da cidade fizessem ideia de quanto a polícia estava perdida nos últimos tempos, de como eles estavam confusos em meio a essa onda de crimes, mal conseguiam respirar, haveria um enorme clamor e a eles seria concedido um investimento extra de 100 milhões de coroas, além de 50 novos postos no local. Atualmente, o preparo da polícia para conter a criminalidade era uma ilusão pura e simples. Esse seria o momento ideal para cometer um crime monstruoso, Hanne Wilhelmsen presumiu, e com 99% de chance de sair ileso.

Ela não deveria ter pensado aquilo.

O alarme de roubo soou. O sistema de interfone estava ligado, e a voz monótona do superintendente foi ouvida por todos no departamento. A Caixa Econômica em Sagene foi invadida. Eles tinham que se reunir na sala de conferências. Rápida como um relâmpago, ela colocou o capacete e a jaqueta de couro.

Ela só não conseguiu fugir. Estando apenas a 1,5 m da liberdade no topo da escadaria que levava à entrada dos funcionários, foi agarrada pelo colarinho. O superintendente riu quando ela se virou constrangida.

– Não tente enganar o bobo – disse ele. – Vá para a sala de reuniões.

– Não, honestamente – ela ousou. – Eu preciso cair fora. Eu já tenho muita coisa para me preocupar, não tenho como contribuir em nada mesmo de qualquer modo. De verdade. Sinceramente. Eu não tenho como assumir mais nada.

Possivelmente, tenha sido algo no tom da sua voz. Provavelmente havia alguma razão para ela ser decididamente sua melhor investigadora. Ou talvez fosse o cansaço anormal estampado em seu rosto, com olheiras aparentes e uma sagacidade inapropriada em seu perfil. Fosse lá o que fosse, o superintendente permaneceu estático por um instante, evidentemente estava em dúvida.

– Tudo bem, então – ele disse finalmente. – Pode ir. Mas que isso não se torne um hábito.

Extremamente aliviada, ela correu para a porta. Não tinha ideia do que iria fazer. Ela só tinha que sair dali.

Uma coisa era certa. Não se podia visitar a cena de um crime muitas vezes. De qualquer forma, dava a ela a sensação de fazer algo específico.

Eles se esbarraram na entrada. Ela estava procurando as chaves no bolso de sua jaqueta de couro, quando ele saiu. Hanne Wilhelmsen teve que dar um passo para trás para evitar a queda. O homem enorme foi igualmente sacudido. Ele sinceramente pediu desculpas, demorou para que ele a reconhecesse.

O dentista estava velho demais para corar. Além disso, sua pele era áspera e estava com a barba por fazer, o que dificilmente permitiria que qualquer vermelhidão aparecesse completamente. No entanto, Hanne Wilhelmsen notou uma ligeira contração em seus olhos quando ele apressadamente explicou que estava visitando o apartamento de sua filha para buscar um objeto. De repente, ele se deu conta de que não carregava nada.

– Infelizmente não o encontrei – acrescentou, arrumando uma desculpa. – Ela deve ter se enganado.

A investigadora Hanne Wilhelmsen não disse nada. O estranho silêncio a favorecia. Ele sabia disso ao tossir de repente, olhando para o relógio, e completou a cena justificando que estava atrasado para uma reunião importante.

– Você poderia aparecer amanhã para termos uma breve conversa às 8 horas? – ela perguntou sem dar a ele a oportunidade de se esquivar.

Ele ponderou por um momento.

– Amanhã de manhã? Hum, será meio difícil, eu acho. Ando muito ocupado.

– É muito importante. Nós nos veremos às 8 horas, certo?

Era óbvio que ele estava desconcertado.

– Está bem, às 8 horas, então. Talvez chegue um pouco mais tarde.

– Está ótimo – ela sorriu. – Alguns minutos mais cedo ou mais tarde não farão diferença.

Ela o deixou ir. A investigadora permaneceu ali, seguindo-o com os olhos, até que ele entrasse no carro, um tanto distante. Ela subiu as escadas e foi até o apartamento do seu velho amigo, onde teve outra calorosa recepção e a confirmação esperada de que aquele homem bastante cordial, o pai da garota, teria ido até lá para uma conversa amistosa.

Hanne Wilhelmsen não prestava muita atenção ao que o idoso dizia. Quase 15 minutos e uma xícara de café depois, ela agradeceu e foi embora. Unindo as sobrancelhas, ela subiu na Harley sem ligar o motor. Por alguma razão, encontrar o pai da garota que sofrera a violência fazia-a sentir como se estivesse em uma competição, uma disputa para a qual ela não dava a mínima. Ser pego no flagra foi desconcertante. Ele lamentava o fato de estar desprevenido ao esbarrar com a policial. Claro que havia o risco de se deparar com a polícia, mas, apesar disso, ele não havia considerado essa possibilidade. Aquilo também custaria a ele uma reunião constrangedora no dia seguinte. Bem, ele só teria que se manter firme.

À tarde, ele voltou para o conjunto de apartamentos. Agora havia apenas um homem no quarto andar e uma mulher jovem no segundo com quem ele ainda não havia falado. Não importava, já que os outros vizinhos haviam relatado a ele que o homem do quarto andar tinha se ausentado por dois meses e que a moça tinha passado o fim de semana na casa dos pais.

O idoso foi a única pessoa que disse algo relevante; algo a respeito de um carro vermelho. Um brilhante carro vermelho desconhecido que ficara estacionado a 30 metros de distância, do outro lado da rua, das 23 horas de sábado até o amanhecer de domingo.

A polícia tinha conhecimento sobre o carro vermelho? Isso realmente tinha importância? Poderia pertencer a qualquer um. Era muito improvável que o estuprador tivesse com o próprio carro estacionado próximo à cena do crime enquanto a ação estivesse acontecendo. Por outro lado, o dentista enorme estava inclinado a aceitar que estupradores agiam da mesma forma que outros tipos de criminosos. Seu entendimento a respeito de agressores sexuais ficava no patamar da escravidão: criaturas primitivas providas de inteligência inferior. Embora ele compreendesse melhor e tivesse mudado de opinião agora que perseguia um desses agressores por conta própria, não podia, e não iria, excluir a possibilidade de o criminoso ser o dono do carro vermelho.

De qualquer maneira, era tudo o que ele tinha. Um carro vermelho. Sedan. Modelo e placa desconhecidos.

Ele suspirou profundamente e se ocupou com o jantar para ele e sua filha muda.

Eram quase 22 horas, e elas estavam deitadas no chão, tinham feito amor. Sob elas, duas colchas foram colocadas e, acima, uma brisa fresca de verão que vinha da porta da sacada, que, ousadamente, fora deixada entreaberta. As cortinas ofereciam alguma privacidade a elas, que tentavam fazer o mínimo barulho possível. Das outras portas-balcão, elas podiam escutar os sons ao longe: um casal brigando no andar de baixo e um barulho de televisão do vizinho da frente. Hanne e Cecilie estavam ali desde antes do noticiário da noite.

– Por que estamos deitadas aqui mesmo? – Hanne deu uma risadinha. – Está um pouco complicado. Estou com dor no cóccix.

– Que chorona! Olhe para mim, eu estou toda ralada!

Cecilie dobrou os joelhos na altura do rosto. Era verdade. Ela tinha esfolado quase o joelho inteiro. Elas nunca aprendiam. Isso já tinha acontecido várias vezes antes, uma delas acabava com cotovelos ou joelhos machucados por causa do atrito com o tapete assim que elas saíam da colcha que estava debaixo delas.

– Coitadinha! – Hanne falou, beijando o joelho ferido. – Por que sempre nos deitamos aqui?

– Porque aqui é fantasticamente confortável – a amante explicou, sentando-se.

– Você vai sair?

– Não, só quero uma colcha. Estou com muito frio.

Ela pegou a colcha que estava por cima e a puxou. Hanne estava de bruços. Ajoelhando-se, Cecilie a beijou exatamente onde as costas terminavam.

– Pobre cóccix – ela declarou, aconchegando-se ao lado de Hanne e abrindo a coberta por cima de ambas. Hanne se virou para o lado de Cecilie, apoiando a cabeça no braço dobrado e, vagarosamente, passou o dedo pelo seio direito de sua amante.

– O que você faria se alguém me estuprasse? – ela perguntou de repente.

– Estuprasse você? Por que alguém a estupraria? Você não é tão descuidada assim para ser estuprada.

– Sinceramente, querida. Você precisa repensar isso. Nunca se é estuprada por descuido.

– Ah, não? Por que nenhuma de nossas amigas foi estuprada até hoje, então? Por que o jornal constantemente noticia que as garotas foram violentadas nos locais mais suspeitos da cidade, nas horas mais propícias? Se você tomar cuidado, não será estuprada.

Hanne Wilhelmsen não estava disposta a discutir, embora a falta de discernimento da companheira a tivesse deixado irritada. Estava feliz demais para brigar. Realmente não queria. Em vez disso, inclinou-se para frente e deixou que sua língua deslizasse ao redor da auréola de Cecilie, delicadamente, para não encostar no mamilo. Repentinamente, ela parou.

– Sério – ela insistiu. – O que você faria? Como você se sentiria?

A outra mulher se sentou devagar, apoiando-se nos braços. Ela virou o rosto. A luz verde do display do aparelho de som gigantesco fez com que seus traços ficassem quase etéreos.

– Agora você está parecendo o fantasma mais lindo do mundo – Hanne falou suavemente, rindo. – O fantasma mais lindo do mundo todo.

Cecilie pegou uma mecha de seu longo cabelo loiro e a enrolou algumas vezes em volta do dedo.

– Por favor – ela pediu mais uma vez –, você não pode me dizer o que faria?

Enfim Cecilie se deu conta de que ela falava sério. Ela deixou as costas um pouco eretas, como se isso a ajudasse a pensar. Então, falou claramente em voz alta:

– Eu mataria o cara.

Ela parou por um instante, considerando a resposta por uns dez segundos.

– Sim, é praticamente certo que eu o mataria.

Era a resposta que Hanne desejava ouvir. Ela se sentou também e beijou a parceira carinhosamente.

– Resposta certa – ela sorriu. – Agora precisamos dormir.

SEXTA-FEIRA, 4 DE JUNHO

Finn Håverstad raramente se aventurava pelo extremo leste da cidade. Sua clínica dentária estava situada em uma construção no distrito de Frogner: enorme, antiga e dispendiosa para manter, por isso ninguém podia se dar ao luxo de morar lá. No térreo havia um escritório de arquitetura, um dos poucos que conseguiram suportar a crise financeira que abalou a profissão. No primeiro andar, três dentistas tinham seus consultórios decorados de forma elegante e sofisticada, cheios de luz e ar fresco.

Sua residência estava localizada em Volvat. Ficava em uma área central, que ao mesmo tempo era rural, um terreno que deveria ter cerca de meio acre. Embora a prática odontológica tivesse sido rentável nos últimos 15 anos, tudo começou quando ele recebeu uma generosa quantia adiantada de sua herança, que possibilitou a ele comprar aquela propriedade em 1978. Sua filha amava aquela casa. Levaria uns 15 minutos caminhando para chegar ao trabalho, mas ele nunca experimentou fazer isso.

O cheiro era diferente do outro lado da cidade. Não que a região fosse mais suja propriamente dita, talvez nem pior, porém... tinha um aroma mais forte. O gás eliminado pelos exaustores era mais denso, e a cidade tinha um cheiro mais pungente, como se ela tivesse se esquecido de passar desodorante apenas naquele ponto. Além disso, o nível de ruído ali era muito maior. Ele não se sentia confortável.

Era um costume tipicamente norueguês o de situar a sede da polícia no bairro mais deplorável da cidade. O Estado provavelmente tinha comprado o lugar mais próximo do nada. Encontrar uma vaga de estacionamento foi terrível também. Ele dirigiu seu BMW cautelosamente até um espaço vazio no início da ladeira que levava até o edifício. Ele teve que esperar dez minutos até que desocupassem uma vaga. Um indivíduo bateu com força um velho Amazon na entrada, arranhando-o no muro ao fazer a curva, assim que entrou na garagem do prédio. A pintura amarela e preta no muro, completamente danificada, indicava que o rapaz não era o primeiro a fazer isso. Notando o perigo, o dentista reduziu a velocidade de seu carro ao entrar e deixou-o ali com relutância quando viu que já estava 15 minutos atrasado.

Ela não mencionou que ele estava atrasado 18 minutos. No geral, mostrou-se alegre e acolhedora; na verdade, bastante simpática. Ele começou a se sentir extremamente inseguro.

– Não vai demorar muito – ela afirmou, tentando tranquilizá-lo. – Café? Ou talvez um chá?

Hanne Wilhelmsen buscou café para os dois e acendeu um cigarro após se certificar de que não o incomodaria.

Por um tempo terrivelmente longo, ela permaneceu sentada, fumando seu cigarro dentro da sala, seguindo a fumaça com olhar prolongado e mantendo-se totalmente em silêncio. Ele ficou inquieto em sua cadeira, em parte porque a achou desconfortável. No final, ele não podia mais suportar o silêncio.

– Há algo em particular que você queira de mim? – perguntou, surpreso com quão submisso havia soado.

A investigadora de repente olhou para ele como se não soubesse que ele estava sentado ali até aquele momento.

– Ah, sim – ela respondeu com alguma empolgação –, eu desejo algo em particular de você. Primeiro...

Olhando para ele com uma expressão questionadora, ela apagou o cigarro e, evidentemente, recebendo a resposta que ela estava esperando quando ele gesticulou com um braço, imediatamente acendeu outro.

– Eu realmente deveria parar com isso – ela comentou como se confiasse um segredo. – Eu tenho um chefe que fuma assim há 30 anos. Você tinha que ver como ele tosse! Shush!

A coluna ficou reta quando ela inclinou a cabeça. Ao longe, no corredor, dava para ouvir um ruído de tosse.

– É ele que está tossindo – Hanne falou exultante. – Isso é realmente perigoso.

Olhando fixamente para o maço de 20 cigarros que já estava pela metade, ela caiu em uma espécie de devaneio.

– Aqui estamos nós, então – ela declarou, de repente e tão alto que ele levou um susto.

Ao notar que começava a suar, ele passou o dedo sobre o lábio superior o mais discretamente possível.

– Primeiro as formalidades – ela prosseguiu com indiferença.

Ela anotou o nome, endereço e data de nascimento tão rápido quanto ele respondia.

– Agora, devo adverti-lo a respeito das seguintes questões: você precisa dizer a verdade à polícia; dar uma declaração falsa é crime passível de punição, você é, na verdade, uma testemunha...

Ela sorriu, e os olhos de ambos se encontraram novamente.

– ... não o acusado de ter cometido um crime. Portanto, pode mentir o quanto quiser! Injusto, não acha?

A cabeça enorme frz que sim. Naquele momento ele teria concordado com a policial sobre qualquer coisa. Ela dava mais medo do que aparentava. Da primeira vez que se viram, na última segunda-feira, ele a tinha achado atraente: uma mulher alta e magra, mas com quadril generoso e seios fartos. Agora, ela se assemelhava a uma amazona. Ele passou o dedo entre o nariz e a boca mais uma vez, mas isso não ajudou. Tirou um lenço recém-passado do bolso e enxugou as laterais da cabeça.

– Está sentindo calor aqui? Peço desculpas. Este prédio é completamente inadequado para o tipo de clima que está fazendo.

Ela não se dispôs a abrir a janela.

– No entanto – disse ela –, você não precisa produzir provas. Pode se recusar. Mas creio que não fará isso, não é mesmo?

Ele balançou a cabeça com tanta veemência que tinha a sensação de que as gotas de suor espirravam.

– Está bem – ela falou –, vamos começar.

Durante quase meia hora, a investigadora fez perguntas totalmente despretensiosas. A que horas ele tinha chegado ao apartamento da filha no último domingo. Onde ela estava precisamente. Se ela vestia alguma roupa. Se ele tinha notado algo de anormal além da condição da filha: odores, sons ou qualquer outra coisa do gênero. Além disso, quis saber como sua filha estava agora, as reações que tivera nos dias que se seguiram. Como ele estava se sentindo.

Embora falar sobre o caso o deixasse muito machucado, ele começou a sentir certo alívio. Relaxou um pouco e, de alguma forma, o ambiente parecia mais confortável. Ele até bebeu um pouco de café enquanto ela fazia uma pausa na conversa para registrar tudo usando uma antiga máquina de escrever "bola de golfe" que ficava sobre a mesa.

– Isso não é muito moderno – disse ele com um pouco de insegurança.

Sem parar nem olhar para ele, ela respondeu que estava esperando a vez dela de receber um computador. Talvez acontecesse na semana seguinte. Quem sabe em um mês.

Vinte minutos depois, ela terminou as anotações e acendeu outro cigarro.

– O que você fazia na vizinhança onde Kristine mora ontem?

Era inconcebível que a pergunta o pegasse tão desprevenido. Ele sabia, claro, que isso ocorreria. Os 50 anos de vida pertencendo ao lado da sociedade que obedece às leis falaram mais alto.

– Eu quis investigar por conta própria – ele admitiu.

Muito bem. Agora ele havia contado o motivo. Não mentira. Aquilo era bom. Notou que a investigadora havia percebido que ele ponderou sobre inventar ou não uma história.

– Você está bancando o detetive particular, então?

Aquilo não fora sarcasmo. Ela tinha mudado mesmo de temperamento. Seu semblante se tornara menos expressivo, ela virou a cadeira para encará-lo e manteve o contato visual por algum tempo, pela primeira vez desde que ele havia chegado.

— Escute-me, Håverstad. Eu não sei como se sente, é óbvio. Mas eu posso imaginar. Até certo ponto, pelo menos. Eu já lidei com 42 casos de estupro. Ninguém se acostuma a eles. Nenhum deles se assemelha. Exceto por uma coisa: todos são horrendos. Tanto para as vítimas quanto para as pessoas que as amam. Eu já presenciei isso muitas vezes.

Ela se levantou e abriu a janela. Em seguida, colocou um pequeno e feio cinzeiro marrom na abertura para evitar que ela se fechasse novamente.

— Eu sempre... acredite! ... sempre pensei em qual seria a minha reação se...

Ela se recompôs.

— ... se alguma das pessoas mais próximas de mim, as que mais amo, sofresse algo assim. Isso é só especulação, óbvio, já que sou uma afortunada por nunca ter passado por isso.

Ela fechou suas mãos finas e deu três socos na mesa.

— Mas creio que eu estaria sedenta por vingança. Primeiramente, eu tentaria me esforçar de verdade para demonstrar ternura e consideração. Uma porção enorme de desespero pode ser canalizada no ato de oferecer cuidado e apoio aos outros. Você não precisa me dizer; no entanto, você não consegue evitar. Eu sei. É difícil lidar com as vítimas de estupro. E fica fácil se deixar consumir pelos pensamentos de desforra. Vingança...

Cruzando os braços, ela olhou para o longe.

— Acho que subestimamos a nossa necessidade de vingança. Você deveria escutar os advogados! Se você apenas insinuar alguma vingança como um aspecto punitivo, eles vêm com o falatório a respeito da história penal, dizendo que deixamos isso para trás há muitos séculos. A vingança não é considerada uma atitude honrada aqui no norte. Ela é vista como rebaixamento, é desprezível e, acima de tudo...

Mordendo o lábio, ela procurava uma palavra.

— ... primitivo! É considerado primitivo! Um erro de conceito gigantesco, na minha opinião. A necessidade de vingança está profundamente enraizada em nós. A frustração que as pessoas sentem quando os agressores sexuais recebem seis meses de pena claramente não pode ser mitigada por frases jurídicas sobre prevenção universal e possibilidades de reabilitação. Os cidadãos querem vingança! Uma pessoa que agiu diabolicamente deveria receber o troco na mesma moeda também. É assim.

Finn Håverstad imaginava aonde a investigadora esquisita queria chegar. O comprometimento dela, o modo de olhar, a gesticulação corporal como um todo, a fim de enfatizar suas opiniões, fizeram com que ele acreditasse que aquela mulher jamais o prejudicaria. Esse era o método dela de adverti-lo sobre algo que ele já tinha incorporado. Uma advertência, bastante clara, mas também bem-intencionada e compassiva.

– Mas você sabe, Håverstad, não é dessa forma que as coisas acontecem por aqui. Não é o caminho certo a seguir, pessoas resolvendo crimes por conta própria, vingando-se secretamente na calada da noite para a alegria da sociedade. Isso só acontece nos filmes. E talvez na América.

Batidas foram ouvidas na porta. Uma figura bizarra a abriu sem esperar resposta. Ele tinha cerca de 1,90 m de altura, cabeça raspada, uma barba ruiva bagunçada e uma cruz invertida na orelha.

– Oh, desculpe-me – ele disse ao ver Håverstad, sem parecer completamente sincero.

Ele olhou para a investigadora.

– Sexta-feira da cerveja às 16 horas, você vem?

– Se eu puder fazer com que não seja apenas uma sexta-feira da cerveja, mas uma sexta-feira de Munkholm, tudo bem.

– Combinado, 16 horas então – o gigante respondeu, fechando a porta.

– Ele é um policial – ela assegurou, desculpando-se. – Um detetive à paisana. Eles às vezes parecem tipos estranhos.

A atmosfera tinha mudado. O sermão estava acabado. Ela colocou as duas folhas de papel na frente dele para que ele as lesse. Finn concluiu brevemente. Não havia nada a respeito do assunto sobre o qual haviam conversado, sobre o que ela tinha falado nos últimos 30 minutos. A investigadora indicou o final da segunda página, onde ele assinou.

Ele poderia ir embora. Finn Håverstad ficou em pé, mas ela desviou da mão dele, que estava estendida para cumprimentá-la.

– Eu o acompanho.

Fechando a porta da sala, ela caminhou ao lado dele por uma passagem com portas azuis e chão pavimentado. As pessoas andavam apressadamente de um lado para o outro no corredor, ninguém vestia uniformes. Ambos pararam na escada que dava para a saída. Ali apertaram as mãos.

– Siga o meu conselho, Håverstad. Não meta o nariz aonde não é chamado. Aja diferente. Leve a sua filha para uma viagem de férias, vá para as montanhas, viaje para o sul. Tanto faz. Mas nos deixe fazer nosso trabalho por conta própria.

Ele murmurou algumas palavras de despedida antes de descer as escadas.

Hanne Wilhelmsen o seguiu com os olhos até ele se aproximar das portas de metal enormes que seguravam o calor insuportável no interior do edifício. Ela deu alguns passos em direção às janelas com vista para o oeste, chegando exatamente no mesmo instante em que ele podia ser visto. Ele ficou parado por um momento, esticando as costas, antes de desaparecer a caminho do estacionamento no subsolo.

A investigadora Hanne Wilhelmsen sentiu muita pena do homem.

Kristine Håverstad costumava gostar de ficar sozinha em casa. Agora, ela era incapaz de apreciar qualquer coisa. Quando seu pai se levantou, ela estava acordada, mas não levantou da cama até escutar a porta se fechar quando ele saiu, por volta das 7h30.

Depois disso, ela usou a água quente toda. Primeiro tomou um banho de 20 minutos no chuveiro, esfregando o corpo até ficar vermelho e dolorido; depois, tomou outro longo banho de banheira com água bem quente. Essa tinha se tornado sua rotina, praticamente um ritual, todas as manhãs.

Naquele momento, ela estava sentada, vestindo um velho moletom e um par de chinelos de pelo de foca bem gasto, ouvindo sua coleção de CDs. Quando ela tinha saído de casa dois anos atrás, havia levado apenas os mais recentes com ela, somente seus favoritos e tinha deixado uma imensa pilha para trás. Pegou um antigo CD do A-ha, *Hunting high and low*. O título era apropriado – era como se ela estivesse procurando algo que não tinha ideia de onde iria encontrar. Nem mesmo sabia o que era. Derrubou a caixa no chão ao abri-la. Um dos pinos quebrou, e ela praguejou quando os dois lados se separaram; não podiam mais ficar unidos. Raivosamente, tentou fazer o que sabia que seria impossível e, com isso, quebrou o outro pino também. Furiosa, jogou as duas partes no chão e começou a chorar. Fabricantes de CD idiotas! Ela soluçou por meia hora.

Morten Harket não tinha se partido em dois. Ele estava inclinado para a frente, com os músculos dos braços enrijecidos, olhando para algum lugar à sua direita, um olhar em preto e branco inescrutável. Kristine Håverstad tinha estudado medicina por quatro anos. Ela conhecia sua anatomia. Ela pegou a pequena fotografia da capa entre os fragmentos de plástico à sua frente. Aquele músculo que ela observava não era visível em pessoas normais. Era necessário exercício, bastante malhação. Ela apalpou os braços magros. O tríceps estava lá, evidente, mas não era visível. Contudo, em Morten Harket, sim. A parte interna de seu braço tinha uma grande e distinta protuberância. Ela ficou olhando.

O homem estava em forma. Os músculos de seu tríceps eram notáveis. Quando ela tentava se lembrar daquela noite horrível, era impossível entender quando ela viu aquilo. Talvez ela não tenha visto. Talvez ela tenha simplesmente sentido. Mas de uma coisa ela tinha certeza. O estuprador tinha um tríceps bem torneado.

Um fato. Ela apenas não sabia o que fazer com ele.

Barulhos vinham do corredor, e Kristine se assustou como se tivesse sido pega no flagra, cometendo um crime que ela ignorava. A adrenalina pulsava em sua corrente sanguínea, ela juntou os pedaços de plástico rapidamente, tentando escondê-los no meio da pilha de discos à sua frente. E caiu no pranto novamente.

Tudo a aterrorizava. De manhã, um passarinho tinha voado em direção à grande janela panorâmica da sala enquanto ela estava sentada lá tentando se alimentar um pouco. O som a fez dar um pulo. Ela sabia exatamente o que era; frequentemente as pobres criaturas se chocavam contra a janela. Quase nunca se machucavam. Ocasionalmente, permaneciam ali por meia hora ou mais antes de mexer os pés, abrir as asas cuidadosamente, algumas vezes, e voar meio atordoadas novamente. Dessa vez ela saiu para pegar o passarinho, sentindo seu pequeno coração batendo com dificuldade. No fim, o pássaro morreu. Provavelmente de choque, porque ela o tinha levantado. Com isso, sentiu-se culpada e envergonhada.

O pai se inclinou sobre ela. Ele a levantou, e ela ficou cambaleante, como se fosse fisicamente incapaz de suportar sua leve estrutura em uma posição ereta. Ele tinha esquecido que ela era tão magra e se assustou quando a segurou pelos pulsos finos para evitar que caísse. Ele cuidadosamente a acomodou no sofá, ela permitiu que ele a colocasse sobre as almofadas sem qualquer protesto. Ele se sentou ao lado dela, deixando um pequeno espaço entre eles. Então ele mudou de ideia e se aproximou, mas parou quando ela ameaçou se afastar. Solícito, ele apertou a mão dela, e ela assentiu.

Não houve outro tipo de contato físico entre eles. Kristine estava feliz assim. Ela não conseguia se aproximar dele, embora desejasse. Ela queria ao menos dizer algo, qualquer coisa.

– Sinto muito, pai. Sinto muitíssimo.

Na verdade, ele não ouviu o que ela estava dizendo. Ela falou baixinho e, além disso, chorava tão amarguradamente que metade de suas palavras não foram devidamente pronunciadas. Pelo menos, ela estava se comunicando. Por um momento, ele ficou em dúvida se deveria responder algo. Será que ela considerava seu silêncio um sinal de impotência? Ou era exatamente a melhor coisa a fazer, não dizer nada, só ouvir? Para amenizar, ele tossiu.

Obviamente era a coisa certa a fazer. Ela se voltou para ele lentamente, quase hesitante, mas finalmente o rosto dela estava no peito dele. Foi onde ela ficou. Ele ficou como uma estátua de sal, com um dos braços ao redor dela e a outra mão segurando a dela. Ele não estava sentado confortavelmente; ainda assim, não moveu um músculo durante meia hora. Ele soube de imediato que a decisão que tinha tomado quando encontrou sua filha no chão há menos de uma semana, devastada e ferida, uma decisão da qual ele duvidou até recentemente, quando esteve na polícia pela manhã, era a correta, afinal.

"É possível que algo faça sentido nisso tudo?"

Como existiam vários casos extremamente importantes, ninguém tinha o monopólio da chamada sala de operações. Não era muito para se vangloriar, de qualquer maneira, mas pelo menos era uma sala, tão boa quanto qualquer outra. Erik Henriksen estava suado e mais corado do que o habitual, fazendo seu rosto parecer a luz do semáforo quando não se pode atravessar. Agora ele estava sentado. Sobre a mesa de trabalho diante dele, estava um mar de folhas de relatório. Eram os suspeitos do caso Kristine Håverstad.

O policial olhou para Hanne Wilhelmsen.

– Há um monte de peculiaridades aqui.

Ele riu.

– Ouça isto: "O retrato tem uma incrível semelhança com Arne Høgtveit, o juiz do tribunal municipal. Saudações de Ulf de Nordland."

Hanne Wilhelmsen abriu um largo sorriso. Ulf de Nordland era um notório criminoso que se encontrava dentro dos muros da prisão com mais frequência do que fora. O Juiz Høgtveit provavelmente tinha sido o responsável pela sua mais recente estadia.

– Na verdade, isso não é tão ridículo. O retrato se parece mesmo um pouco com ele – a investigadora afirmou, amassando o relatório e jogando-o na lixeira ao lado da porta. Ela marcou um ponto.

– Ou este – continuou Erik Henriksen. – "O culpado deve ser o meu filho. Ele tem sofrido possessão por espíritos malignos desde 1991. Ele fechou a porta para o Senhor."

– Também não é tão ridículo, sabe? – Hanne Wilhelmsen falou. – Você foi mais além na investigação?

– Sim. O homem é um clérigo em Drammen. Sua mãe está internada no hospital psiquiátrico Lier desde 1991.

Ela riu alto.

– Eles são todos assim?

Ela examinou os relatórios que estavam espalhados, aparentemente de modo caótico, mas que, provavelmente, estavam organizados de acordo com algum tipo de sistema.

– Aquele ali...

Henriksen afastou o calhamaço para a esquerda com a mão.

– ... simplesmente coisas e insanidades.

Infelizmente, essa foi a maior pilha.

– Esse aqui...

Sua mão fechada bateu no pacote mais próximo, que era menor.

– ... são advogados, juízes e policiais.

Ele passou os dedos pela mesa.

– Aqui estão os estupradores com antecedentes, aqui estão os habituais, homens desconhecidos para nós, aqui estão indivíduos muito velhos e aqui...

Ele pegou um pacote fino contendo quatro ou cinco folhas.

– ... essas são mulheres.

– Mulheres!

Hanne gargalhou e completou:

– Recebemos denúncias envolvendo mulheres?

– Sim. Devo descartá-las?

– Seguramente pode fazer isso. Por uma questão de formalidade, mantenha a dos advogados e policiais e, talvez, a pilha dos lunáticos também. Mas não perca muito tempo com eles no momento. Concentre-se nos que têm comportamento sexual anormal e nos homens comuns, sem registros policiais. Caso as denúncias tenham sido feitas por pessoas aparentemente sérias, pelo menos. Quantos sobram então?

Ele contou rapidamente.

– Vinte e sete homens.

– Que provavelmente não cometeram o crime – Hanne Wilhelmsen suspirou. – Mas traga-os aqui o mais rápido possível. Avise-me se algum deles interessar. O telefone está funcionando?

Surpreso, ele respondeu que achava que sim. Tirou o telefone do gancho e levou à orelha por um segundo.

– Tem linha, pelo menos. Você achava que não estaria funcionando?

– Sempre existe algum problema com o equipamento por aqui. Nada além de entulho que ninguém mais quer.

Tirando um pedaço de papel do seu jeans apertado, ela discou um número de Oslo.

– Eu gostaria de falar com o técnico Bente Reistadvik, por favor – Hanne solicitou.

Em pouco tempo, o técnico estava na linha.

– Wilhelmsen, homicídios, polícia de Oslo, falando. Eu trato alguns casos com você. Em primeiro lugar...

Ela olhou novamente para o papel.

– Processo número 93-03541. Crime contra Kristine Håverstad. Nós pedimos a análise de DNA e também enviamos material: fios de cabelo e vários fragmentos.

Houve silêncio por um tempo, e a investigadora ficou com o olhar distante, sem fazer anotações.

– Não, eu entendo. Qual é a previsão para que o resultado fique pronto? Quanto tempo isso levará?

Suspirando, ela se virou, inclinando o tronco sobre a mesa.

– E esses massacres de sábado à noite? Você tem algo a me dizer sobre eles?

Dez segundos depois, ela estava olhando para o policial de cabelos vermelhos com uma expressão de espanto.

– É isso mesmo? Certo.

Houve uma pausa.

– Exatamente.

Fez-se uma pausa longa. Ela se virou de novo, obviamente procurando algo onde escrever, e seu colega entregou papel e caneta para ela. Puxando o cabo do telefone em torno da borda da mesa, ela se sentou do outro lado, onde as duas mesas estavam, pois tinham sido colocadas juntas.

– Interessante. Quando eu posso ter isso por escrito?

Outra pausa.

– Excelente notícia. Muito obrigada!

Colocou o telefone de volta no gancho. Hanne Wilhelmsen continuou com as anotações por alguns minutos. Ela olhou para o que tinha anotado durante algum tempo, sem dizer uma palavra. Em seguida, dobrou a folha de papel duas vezes, levantou-se, guardou-a no bolso de trás e deixou a sala sem se despedir.

Erik Henriksen se sentou, reconhecendo que tinha sido ludibriado.

⁕

Seu bronzeado era tão falso quanto seu tônus muscular. O primeiro era resultado de bronzeamento artificial, o suficiente para causar câncer de pele em várias pessoas. Os músculos bem definidos foram adquiridos por meio de substâncias artificiais, mais especificamente por vários tipos de testosterona, anabolizantes principalmente.

Ele idolatrava a própria aparência. Era um homem. Sempre almejara ter aquela aparência, especialmente na puberdade, quando era um garoto magro e estrábico, que apanhava diariamente dos outros garotos. Sua mãe não pôde conter aquela situação. O hálito dela cheirava a hortelã e álcool, mas ela tentava, de forma fracassada, confortá-lo quando ele chegava em casa com os olhos roxos, joelhos ralados e lábios rachados. No entanto, ela se escondia atrás das cortinas, em vez de tomar uma atitude, quando os arruaceiros do bairro ameaçavam tanto a ela quanto ao menino, exibindo as brigas cada vez mais perto do prédio onde eles viviam. Ele sabia disso, porque inicialmente gritou por ajuda em direção às cortinas da cozinha do primeiro andar, mas percebeu quando ela se retirou da janela. Ela sempre se esquivava. O que ela não sabia era que os espancamentos aconteciam mais por culpa dela do que pela aparência insignificante do menino.

Os garotos da rua tinham mães adequadas. Do tipo alegre, mulheres inteligentes que preparavam fatias de pão com leite, algumas trabalhavam, mas nenhuma delas em tempo integral. Os outros tinham irmãos pequenos, irritantes e doces ao mesmo tempo, e eles tinham o principal, um pai. Nem todos moravam ali; no início da década de 70, a tendência ao divórcio tinha chegado à pequena cidade onde ele cresceu. Mas os pais apareciam normalmente, em carros nas manhãs de sábado, com mangas arregaçadas, irradiando sorrisos e com varas de pesca no porta-malas do carro. Todos, exceto o dele.

Os meninos chamavam sua mãe de Beberrona-Guri. Quando ele era pequeno, realmente pequeno, ele achava que sua mãe tinha um nome lindo. Guri. Depois que Beberrona-Guri surgiu, ele passou a odiá-lo. Daquele dia em diante, não suportava mulheres com aquele nome. Não suportava mulheres de maneira alguma.

Havia sobrevivido à puberdade com muita dificuldade, e o bullying foi diminuindo. Estava com 17 anos e crescera 18 centímetros em 18 meses. Ele não tinha acne, e seus ombros eram largos. O estrabismo foi corrigido em uma cirurgia que o obrigou a andar com um tapa-olho humilhante por seis meses, o que não contribuiu para o aumento de sua popularidade. Seu cabelo era loiro, e sua mãe dizia que ele era um rapaz bonito. Por tudo o que havia de mais sagrado, ele não conseguia entender por que Aksel, por exemplo, tinha uma namorada quando ninguém olhava para ele. Aksel estava um pouco acima do peso, usava óculos e, além de tudo, era mais baixo que ele.

Os demais não eram necessariamente ruins, mas simplesmente o evitavam e, vez ou outra, faziam comentários sarcásticos sobre ele. Especialmente as garotas.

Quando o menino estava no segundo ano do Ensino Médio, a Beberrona-Guri enlouqueceu completamente e foi internada em um hospital psiquiátrico. Ele a visitou uma vez, pouco depois de sua internação. Estava deitada na cama, cheia de cateteres e tubos, com a cabeça nas nuvens. Ele não sabia o que fazer, o que dizer. Enquanto estava ali sentado, em silêncio, escutando-a proferir palavras sem sentido, a coberta desceu até a metade do corpo dela. Sua camisola estava aberta na frente, revelando um peito magro, um saco de carne vazio, com um mamilo escuro, quase preto, como se fizesse cara feia para ele, olhando-o fixamente, acusando-o com os olhos. Então, ele se retirou. Desde aquele dia, nunca mais viu a mãe. Esse foi o dia em que ele planejou o que iria se tornar. Ninguém seria capaz de atormentá-lo novamente.

Agora ele estava sentado diante de uma tela de computador, pensando bastante. Não era tão fácil escolher. Ele tinha que se restringir àquelas que fossem absolutamente certas. Às que não tinham ninguém. Que não fariam falta a ninguém. De vez em quando, ele se levantava e ia até um armário, pegava alguns arquivos e olhava novamente para a pequena fotografia de passaporte presa com um clipe de papel no topo da página. Fotografias de passaporte eram sempre falsas, ele sabia disso por causa de uma vasta e amarga experiência. Entretanto, elas sugeriam alguma ideia.

Finalmente ele estava satisfeito. Sentiu sua excitação aumentar, um palpite certeiro, a sensação era tão boa quanto medir seus músculos e perceber que eles haviam aumentado ao menos um centímetro em relação à última medição.

Era uma ação engenhosa. E o mais genial de tudo era que ele enganava a todos. Enganava e atormentava a todos. Ele sabia exatamente como as coisas andavam para eles, os idiotas da Divisão de Investigação Criminal nas sedes da polícia. Estavam totalmente equivocados quanto a esses massacres de sábado à noite. Ele sabia inclusive que eles os chamavam de "Massacres de sábado à noite". Sorriu, eles nem tinham inteligência para decifrar a pista que ele deixava. Cretinos, todos. Ele se deliciava.

※

– Diga-me, aonde você se meteu nestes últimos dias? – Hanne Wilhelmsen perguntou, jogando-se na cadeira em frente à mesa na sala de Håkon Sand.

Ele brigava com um pedaço de tabaco para mascar que não parava de sair da boca, fazendo o lábio superior se curvar para cima em resposta ao gosto, sem dúvida amargo.

– Eu quase não o vi, sabe?!

– Tribunal – ele murmurou, esforçando-se para empurrar o tabaco de volta com a língua. Desistindo, ele usou o indicador para tirar o naco. Em seguida, passou o dedo na borda do cesto de lixo e limpou o resto nas calças.

– Porco – Hanne Wilhelmsen murmurou.

– Eu estou vivendo um inferno por causa da pressão no momento, entende? – ele continuou, desconsiderando o comentário. – Primeiro, vou ao tribunal praticamente todos os dias. Segundo, tenho que assumir outros casos com frequência, pois há muitas pessoas de licença médica. Estou sobrecarregado.

Ele apontou para uma das habituais pilhas verdes que dificultavam a existência de todos no presente.

– Eu ainda não tive a chance de examiná-los! Não pude dar uma olhada!

Inclinando-se para frente, Hanne Wilhelmsen abriu uma pasta que tinha levado com ela e colocou-a na frente dele. Ela puxou a cadeira para trás da mesa, e os dois ficaram ali sentados, como dois estudantes do primeiro ano compartilhando a leitura de um livro.

– Aqui pelo menos você vai poder observar algo incrível: os massacres de sábado à noite. Acabei de falar com a perícia. Eles não concluíram ainda, mas os resultados preliminares são bastante interessantes. Veja isto.

Ela providenciou um arquivo detalhado com fotografias anexadas, duas em cada página. Havia três folhas, seis fotos no total. Pequenas flechas brancas haviam sido fixadas em dois ou três lugares de cada retrato, tiradas de ângulos diferentes. Estava difícil manter a pasta aberta, pois a rigidez e a falta de flexibilidade faziam com que ela se fechasse a toda hora. Erguendo a pasta, ela destacou as páginas. Aquilo ajudou.

– Este é o primeiro. O depósito em Tøyen. Pedi três amostras que foram retiradas de locais diferentes.

E prosseguiu. – Foi uma ótima ideia – Hanne Wilhelmsen comentou, lendo os pensamentos dele.

– Porque aqui...

Ela indicou a primeira imagem, onde havia apenas duas setas posicionadas.

– Aqui, era sangue humano... de uma mulher. Eu solicitei uma análise completa, mas vai levar algum tempo. – Mas aqui... – ela prosseguiu, apontando para a segunda flecha.

Então, foi para a próxima página e mostrou mais uma seta em uma imagem que continha três dos pequenos indicadores.

– Aqui nós temos algo diferente, entende? Sangue animal.

– Sangue animal?

– Sim. Provavelmente suíno, mas não sabemos ainda. Vamos descobrir em breve.

A amostra de sangue humano tinha sido coletada próxima ao centro do banho de sangue. O sangue animal estava situado na borda.

Ela guardou o arquivo, mas permaneceu sentada ao lado dele, sem nenhum sinal de movimento. Ambos ficaram em silêncio. Hanne notou que ele estava perfumado, um leve aroma de loção pós-barba que ela não reconheceu. Nenhum dos dois tinha noção do que os resultados da amostra de sangue poderiam significar.

– Se todo o sangue tivesse vindo de um único animal, a teoria do brincalhão estaria consideravelmente reforçada – Hanne resmungou depois de algum tempo, mais para si do que para Håkon. – Acontece que não é apenas animal...

Olhando para o relógio, ela deu um salto.

– Preciso correr. Sexta-feira da cerveja com meus velhos amigos. Tenha um bom fim de semana.

– Sim, com certeza vai ser bom – ele murmurou, sentindo-se desanimado.

– Estarei de plantão de sábado para domingo. Provavelmente vai ser o caos. Com esse tempo. Eu não consigo me lembrar de como é o frio, sabe?

– Tenha um bom turno, então.

Ela sorriu, dirigindo-se para a porta.

Uma cerveja ocasionalmente às sextas-feiras com a velha turma da academia de formação de polícia, a comemoração de verão e o jantar de Natal. Esses eram os contatos que ela mantinha com os colegas socialmente, fora do ambiente de trabalho. Agradável e consideravelmente distante. Ela estacionou sua moto, um pouco em dúvida sobre se deveria deixá-la tão exposta no meio de Vaterland, mas decidiu colocá-la à prova. Por razões de segurança, ela usou as duas correntes, enrolando-as nos pneus e prendendo-as nos dois postes metálicos convenientemente posicionados.

Depois, tirou o capacete, sacudiu os cabelos curtos e subiu os degraus até a edificação questionável com a localização mais excêntrica entre todos os bares da cidade, literalmente embaixo de um viaduto.

Eram quase 16h30, e os outros já estavam alguns litros adiantados, dois ou três, a julgar pelo nível do barulho. Ela foi recebida com aplausos e gritos ensurdecedores. Não havia outras meninas lá. Na verdade, não havia ninguém além dos sete policiais no local. Uma pequena garçonete de aparência asiática vinha atendê-los de dentro do bar.

– Uma cerveja para minha amiga – gritou Billy T., o monstro que tinha assustado Finn Håverstad naquela mesma manhã.

– Não, não – ela recusou e pediu uma Munkholm.

Um minuto depois, uma Clausthaler foi colocada na frente dela. Obviamente, era tudo a mesma coisa para a garçonete, embora certamente não fosse para Hanne. Mas ela não fez nenhum protesto.

– Do que você está a fim hoje, querida? – perguntou Billy T., abraçando-a.

– Você deve se livrar dessa barba – Hanne respondeu, puxando o bigode vermelho gigante que ele tinha adquirido em tempo recorde.

Ele jogou a cabeça para trás, fingindo estar ofendido.

– Minha barba! Minha bela barba! Você devia ver os meus meninos. Eles ficaram morrendo de medo na primeira vez em que me viram assim, mas agora eles querem ter uma também.

Billy T. tinha quatro filhos. Toda segunda sexta-feira do mês, ele percorria a cidade, parava em quatro casas diferentes para buscar seus filhos. Domingo à noite, ele fazia o mesmo caminho para entregar quatro garotos exaustos e felizes para a proteção das respectivas mães, que mantinham a guarda dos pequenos.

– Você, Billy T., você sabe tudo – Hanne ousou, depois que Billy T., ofendido com o comentário a respeito de sua barba, soltou os ombros dela.

– Hehe, o que você procura agora? – ele sorriu.

– Nada. Mas você saberia onde encontrar sangue? Uma grande quantidade de sangue?

Todos ficaram quietos de repente, com exceção de um homem no meio de uma boa história que não tinha escutado o que ela havia dito. Ao perceber que os outros ficaram mais interessados na pergunta de Hanne do que na sua piada, ele pegou o copo e bebeu a cerveja.

– Sangue? Sangue humano? O que está acontecendo na sua área?

– Não, sangue animal. Sangue de porco, por exemplo. Ou o que quer que seja, apenas de um animal. Algum encontrado aqui na Noruega, claro.

– Bem, Hanne. Isso é óbvio. Em um matadouro, naturalmente!

Como se ela não tivesse pensado nisso também.

– Sim, eu certamente considerei isso – ela observou pacientemente. – Mas qualquer um pode passar por lá e recolher tudo o que quiser? É possível comprar grandes quantidades de sangue em um matadouro?

– Eu lembro que minha mãe costumava comprar sangue quando eu era pequeno – o policial mais magro de todos interveio. – Ela trazia para casa um sangue horroroso dentro de uma vasilha para fazer morcela e outras coisas do gênero. Panquecas com molho de sangue também. Ele fez cara feia por causa da memória repulsiva da infância.

– Sim, eu sei disso – declarou Hanne, ainda paciente. – Alguns matadouros ainda têm sangue para venda. Mas não seria estranho se alguém chegasse e pedisse dez litros?

– São esses massacres de sábado à noite que você vem investigando? – Billy T. perguntou, mais interessado agora. – Informaram a você que se trata de sangue animal?

– Uma parte – Hanne contou a ele sem entrar em mais detalhes sobre o que ela queria dizer com aquilo.

– Verifique os abatedouros aqui na cidade, então, veja se ninguém demonstrou um interesse fora do comum por sangue, especialmente no que diz respeito à quantidade. Isso não deve ser muito difícil. Mesmo para vocês, preguiçosos da homicídios!

Eles não eram mais os únicos nas instalações escuras. Duas mulheres em seus vinte e poucos anos se sentaram na outra ponta do bar. Certamente elas não escaparam aos olhares de sete homens embriagados. Alguns pareciam especialmente interessados, e Hanne concluiu que deveriam ser dois que não tinham namorada no momento. Ela deu uma espiada rápida nas mulheres também, e seu coração bateu mais forte. Eram homossexuais. Não que elas tivessem alguma característica, uma aparência estereotipada. Uma delas tinha cabelo comprido e ambas eram bem comuns. Hanne Wilhelmsen, no entanto, como todas as lésbicas, possuía um radar embutido que possibilitava a ela determinar esse tipo de coisa em uma fração de segundos. Quando, de repente, uma se inclinou em direção à outra e discretamente se beijaram, ela deixou de ser a única pessoa a saber.

Hanne bufou. Demonstrações públicas de afeto deixavam-na enlouquecida, e o fato de ficar tão exasperada com aquilo a irritava ainda mais.

– Sapatonas – sussurrou um dos policiais, o que mais havia se interessado pelas moças em princípio. Os outros gargalharam, exceto Billy T.. Outro homem loiro e grande, com quem Hanne nunca tinha simpatizado, apenas tolerava, aproveitou a oportunidade para emplacar uma ou outra piada grosseira, até que Billy T. o interrompeu.

– Pare com isso – ele ordenou. – O que essas mulheres estão fazendo não é da nossa conta. E tem mais...

Um dedo colossal bateu no peito do colega loiro.

– Tem mais, suas piadas são sempre péssimas. Durma com essa agora!

Trinta segundos depois, eles caíram na risada novamente. Uma rodada de cerveja fresca chegou à mesa, mas para Hanne, agora, era apenas questão de tempo entre o infeliz episódio e sua saída de cena. Meia hora bastaria.

Ela se levantou, vestiu sua jaqueta de couro, sorriu para eles e desejou que aproveitassem as aventuras da noite de sexta enquanto se preparava para sair.

– Espere um pouco, querida – Billy T. sorriu, segurando-a pelo braço. – Venha e me dê um abraço.

Ela se virou para ele, meio relutante, quando ele parou e ficou encarando-a com uma seriedade que raramente ela tinha visto.

– Eu gosto de você, Hanne, você sabe disso – ele murmurou. Então a abraçou com força.

SÁBADO, 5 DE JUNHO

A natureza estava totalmente confusa. O aroma da flor de cerejeira desabrochando pairava no ar, como no verão, ao longo de todos os caminhos, e o jardim de rosas estava florescida. As pétalas das tulipas, normalmente no auge de sua glória, abriram-se completamente, e as flores estariam mortas dentro de alguns dias. Insetos zumbiam em meio a toda aquela frivolidade, num estado de semiconsciência. Os alérgicos a pólen estavam sofrendo e até mesmo os mais entusiastas, aficionados pelo verão, olhavam furtivamente para o céu. O sol mal repousava durante a noite e já era hora de nascer, quente e majestoso como nunca, por volta das 5 horas diariamente. Haveria algo errado em algum lugar.

– O cometa está a caminho – suspirou Hanne Wilhemsen, que lia os livros de Tove Jansson anualmente.

Ela estava sentada na pequena sacada com os pés apoiados no guarda-corpo, lendo os jornais de sábado. Eram quase 22h30, mas definitivamente estava quente demais para ficar dentro de casa assistindo à televisão.

— Tola — Cecilie falou, oferecendo uma taça de Campari com tônica. — No sul, você acharia que isso é maravilhoso. Fique feliz por termos uma linda estação aqui no norte, ao menos uma vez.

— Não, obrigada. Estou com um pouco de dor de cabeça. Deve ser o calor.

Cecilie estava certa como sempre. Realmente o clima estava adorável. Hanne Wilhelmsen não se lembrava da última vez que havia se sentado do lado de fora, vestindo shorts e camiseta tão tarde da noite e se sentindo aquecida. Não na Noruega. Pelo menos não no início de junho.

No morro coberto por grama embaixo da sacada, duas famílias estavam reunidas. Cinco crianças, um cão e dois casais assavam churrasco, cantavam cantigas e desfrutavam de uma boa diversão ao ar livre como antigamente. Ficaram ali por muito tempo, apesar de provavelmente ter passado bastante da hora de os pequenos irem dormir. Uma hora antes, Cecilie perguntara em voz baixa quanto tempo levaria para a sra. Weistrand do andar térreo sair e reclamar. A senhora em questão já havia batido na porta da sacada algumas vezes em protesto contra a folia das crianças. Cecilie estava certa, é claro. Às 23 horas, um carro de polícia apareceu no estacionamento, e dois policiais usando farda de verão caminharam com um propósito definido pelo gramado em direção à reunião familiar.

— Olhe para eles, Cecilie — Hanne falou, rindo baixinho. — Eles estão marchando. Quando eu era uma policial de rua, decidi que jamais faria isso, parece militar. Mas é impossível perder o hábito. É exatamente como pertencer a uma banda.

Os policiais eram a cara de um, focinho do outro. Dois homens de cabelo curto, com alturas idênticas. Ficaram um pouco hesitantes ao se aproximar da pequena reunião, mas foram falar com o homem aparentemente mais velho.

— Eu sabia — Hanne riu, batendo na própria coxa. — Eu sabia que eles iriam abordar um dos homens!

Levantando-se, as duas mulheres se inclinaram, apoiaram os cotovelos sobre a grade da sacada. O grupo estava a menos vinte metros de distância e o som podia ser claramente ouvido naquela noite de verão.

– Vamos começar a guardar tudo por aqui – ordenou um dos policiais. – Recebemos uma reclamação sobre o barulho efetuada por um dos vizinhos.

– Que vizinhos?

O homem a quem havia sido dada a honra da abordagem balançava os braços com decepção.

– Todos estão do lado de fora agora, olhe – ele argumentou, apontando para o conjunto de apartamentos, onde as pessoas ocupavam a maioria das varandas.

– Não estamos perturbando ninguém!

– Desculpe – o policial insistiu, ajeitando o quepe. – Vocês terão que entrar.

– Com este calor?

Naquele momento, a sra. Weistrand estava fazendo sua entrada. Com passos largos e balançando os quadris, ela atravessou seu pedaço de jardim.

– Faz mais de duas horas que eu chamei vocês! – ela repreendeu. – É uma desgraça!

– Estamos muito atarefados, senhora – desculpou-se o outro gêmeo, ajustando o quepe.

Hanne Wilhelmsen sabia que era um pesadelo ter que usar um quepe naquele calor. Ela resolveu intervir.

– Cecilie, eu realmente estou com dor de cabeça. Você poderia preparar um chá para mim? Você é um anjo.

Chá para dor de cabeça. Um bom remédio, a médica presumiu, sabendo perfeitamente por que deveria ir para dentro de casa. Mas ela não disse nada, simplesmente deu de ombros enquanto ia em direção à cozinha.

– Olá – Hanne Wilhelmsen gritou para os dois policiais assim que Cecilie se retirou. – Olá, rapazes!

Todo mundo que estava no gramado olhou para ela. Os dois guardas caminharam, meio em dúvida, na direção do edifício, quando perceberam que ela estava falando com eles. Hanne não os conhecia, mas supôs que eles sabiam quem ela era. Obviamente, ela estava certa. Quando estavam a cinco metros de distância da sacada dela, eles se animaram.

– Olá – os dois responderam, mais ou menos ao mesmo tempo.

– Deixem as pessoas – Hanne Wilhelmsen aconselhou com uma piscadela. – Elas não estão fazendo barulho. É a velha senhora que mora no térreo quem está sendo difícil. Deixem as crianças se divertirem.

A recomendação da investigadora Wilhelmsen foi suficiente para os dois policiais. Com um toque de deferência com seus quepes, eles giraram sobre os calcanhares e retornaram à pequena reunião.

– Continuem sem fazer barulho, então – um deles falou enquanto saía com seu parceiro para resolver questões mais importantes.

Furiosa, a sra. Weistrand voltou apressadamente para sua toca, enquanto o homem mais velho da reunião aproximava-se de Hanne.

– Muito obrigado – ele disse, fazendo o gesto do triunfo com a mão direita, o símbolo do "Sim para a União Europeia", usado a partir de 1972.

Hanne apenas sorriu, balançando a cabeça. Cecilie retornou. Batendo a xícara de chá na mesa, ela mergulhou nos jornais sem dizer uma palavra.

Quando eram 2h30, as crianças já tinham ido dormir havia muito tempo e o calor da noite diminuído o suficiente para ambas vestirem uma blusa, ocorreu a Hanne que Cecilie não tinha trocado mais do que alguns monossílabos com ela desde que a polícia estivera ali. Permaneceram sentadas em silêncio, nenhuma delas quis se deitar ao lado da outra, sem contar que a noite realmente estava bastante encantadora. Hanne tinha tentado de tudo. Nada funcionou. Por isso, ela estava sentada se perguntando o que fazer para evitar que o dia seguinte fosse arruinado também.

Então, o telefone tocou. O telefone de Hanne.

Cecilie rasgou o jornal em dois.

– Se for do trabalho e você tiver que sair, eu vou matar você – ela esbravejou, antes de jogar o papel rasgado fora, batendo os pés no chão ao entrar em casa e fechar a porta do quarto ferozmente.

Hanne atendeu à chamada.

Embora ela estivesse mentalmente preparada, um telefonema na madrugada de sábado para domingo nunca seria para dar uma boa notícia. Ela sentiu a nuca arrepiar. Era outro massacre de sábado. Håkon estava ao telefone. Ele já estava no local, uma estação de metrô em um antigo subúrbio no lado leste da cidade. O aspecto era terrível. Uma vez que as últimas informações sobre os massacres apontavam para a existência de sangue humano, ele supôs que ela gostaria de dar uma olhada.

Hanne ponderou por uns dez segundos.

– Eu estou a caminho – respondeu sem rodeios.

Ela parou do lado de fora da porta do quarto antes de bater levemente.

– O quarto é seu também – ouviu uma voz mal-humorada declarar.

Ela se aventurou a entrar. Cecilie tinha se despido e estava sentada na cama, segurando um livro e usando os óculos feios de leitura, que ela sabia que Hanne odiava.

– Você vai sair, eu sei – Cecilie proferiu com frieza.

– Sim, e você vem também.

– Eu?

Abaixando seu livro, ela olhou para Hanne pela primeira vez após muito tempo.

– Sim. É hora de você ver o que eu faço quando saio de casa durante a noite. O banho de sangue não deve ser pior do que o seu centro cirúrgico.

Cecilie não deu crédito a Hanne. Ela começou a ler novamente, mas estava claramente mais preocupada com o que Hanne estava prestes a dizer.

– Eu falo sério, minha amiga. Coloque uma roupa. Vamos inspecionar uma cena de crime. Depressa.

Cinco minutos depois, uma Harley cor-de-rosa rugiu em direção à região de Oppsal. Quando elas chegaram, tudo parecia bastante diferente das outras cenas. Três carros de patrulha estavam estacionados, luzes azuis brilhando sem causar qualquer tipo de constrangimento aos vizinhos, que foram esticando o pescoço para ver o que tinha acontecido.

A estação de metrô estava vazia e era rodeada por uma cerca com uma geringonça semelhante a uma comporta de represa, de frente para a rua, usada para saída de passageiros.

O sangue estava do lado oposto ao que os transeuntes tinham que percorrer, em uma pequena construção que servia de passagem para a plataforma de embarque.

Havia 13 policiais na área. Håkon Sand estava entre eles, vestindo a farda completa. Hanne lembrou que ele estava de plantão. Ele sorriu ao cumprimentá-la enquanto ela cruzava a fita de isolamento que estava amarrada por todos os lados.

Cecilie seguiu ao lado dela, sem contestação por parte da sargento que guardava o perímetro.

– Você veio rápido – ele comentou, aparentemente sem perceber que ela estava acompanhada. Hanne não apresentou ninguém.

– Um jovem casal que voltava de uma festa descobriu isto – Håkon explicou. – Eles estavam loucamente apaixonados e procuravam um lugar discreto.

Ele apontou para um canto formado por um muro de 2 metros de altura ligado ao prédio cinza-escuro. O chão era um pavimento muito antigo e coberto por dentes-de-leão que haviam brotado na superfície cinzenta. Tudo estava escuro de sangue. Enormes quantidades de sangue.

– Neste momento, estamos fazendo um esforço para reunir evidências de uma forma mais completa – explicou, indicando a cena ao seu redor.

Sensato. Exatamente o que ela teria feito. Olhando em volta, Hanne chamou Hilde Hummerbakken, que possuía um cão farejador. Ela tinha engordado cerca de 30 quilos desde que saíra da academia de formação da polícia e andava de forma desengonçada, vestindo uma farda extremamente apertada. A policial tinha, no entanto, o cachorro mais bonito do mundo. A cauda abanava como se fosse uma hélice. O cão percorria o local, parando algumas vezes aqui e ali, sempre obedecendo aos comandos tranquilos e firmes de sua dona, um espetáculo fascinante. Depois de vários minutos, a policial rotunda se aproximou, e Hanne se agachou para brincar com o cachorro.

– O autor deve ter passado pela construção – Hummerbakken declarou ofegante. – Isso está claro. Não há nada ao longo da cerca. Cairo farejou todo o edifício, mas está pegando algo a cerca de 30 metros acima daquela encosta ali. Ele ou ela tinha um carro. Esses prédios não deveriam ser fechados à noite?

– Creio que sim – respondeu Hanne Wilhelmsen ao se levantar. – Porém, com cada vez menos funcionários, há um limite para a meticulosidade. Não há nada aqui para roubar. É só um prédio vazio.

A inspetora de polícia Hummerbakken permitiu que dessem mais uma volta com o cão. Hanne Wilhelmsen pegou uma lanterna emprestada. No meio do local coberto de sangue, alguém tinha colocado uma pequena tira de papelão, como um corredor, atitude sem pé nem cabeça. Ela foi caminhando cuidadosamente pelo lugar até finalmente encontrar a sequência de oito dígitos escrita na parede ensanguentada. Então, virou-se para os outros, agachou-se e olhou ao redor, em todas as direções.

– Como eu pensei – ela murmurou, levantando-se e deixando o local.

Nenhum deles entendeu o que Hanne tinha declarado. Cecilie sentia-se atordoada por causa das impressões que a bombardeavam e ainda não havia se recuperado do fato de estar realmente ali, no meio de uma ocorrência, com os colegas de Hanne.

– Lá dentro, perto da parede, há cerca de quatro metros quadrados para ficar sem ser visto – ela ressaltou. – A construção visível mais próxima é aquela ali. Sob essa luz, é impossível para alguém que esteja do lado externo ver o que se passa aqui.

Eles observaram o dedo dela, que apontava para um edifício baixo no meio da escuridão a pelo menos 300 metros de distância.

– Olá – Håkon Sand falou de repente, como se não tivesse notado Cecilie até aquele momento.

Ele estendeu a mão.

– Sou Håkon Sand.

– Cecilie Vibe.

Cecilie sorriu radiantemente em troca.

Hanne interrompeu a breve conversa.

– Uma amiga minha. Ela estava me visitando. Eu não pude deixá-la – ela mentiu com um sorriso forçado, sentindo imediatamente dores terríveis de arrependimento.

– E agora você vai ter que me levar para casa – Cecilie disse, fria como gelo, acenando brevemente para Håkon com a cabeça.

Ela se dirigiu para a porta do edifício cinza.

– Não, espere, Cecilie – Hanne falou desesperadamente.

Em voz alta, para ter certeza de que sua parceira ouviria, ela falou para Håkon:

– Na verdade, eu estava pensando em convidá-lo para jantar na próxima sexta-feira. Na minha casa. Com a minha companheira. Então, você vai poder conhecê...

Ela engoliu a palavra "la."

– ... a minha companheira – concluiu sem pensar quão estranha a repetição soaria.

O conselheiro de polícia parecia ter sido convidado para um cruzeiro de três semanas no Caribe. Estava tanto incrédulo quanto evidentemente feliz.

– Mas é claro – respondeu sem considerar que ele já tinha combinado de visitar sua mãe idosa. – Certamente! Podemos discutir os detalhes mais tarde!

Deixando o banho de sangue para trás, Hanne seguiu Cecilie para longe da cena até a moto. Ela não proferiu uma palavra.

Sentia-se zonza e não tinha ideia de como iria se livrar do compromisso que tinha acabado arranjar.

– Então aquele era Håkon Sand. Ele aparenta ser bastante agradável – Cecilie comentou. – Eu acho que você deveria contar a ele sobre mim antes que ele apareça.

Ela inclinou a cabeça para trás e gargalhou bem alto até que os pensamentos melancólicos invadissem sua cabeça, então parou abruptamente. Depois, seguiu rindo durante todo o caminho de volta para casa.

DOMINGO, 6 DE JUNHO

Finalmente saíra nos jornais. Isso realmente o deixou feliz. Quando os sinos da igreja o acordaram, por volta das 10 horas, depois de quatro curtas, mas revigorantes horas de sono, ele vestiu um agasalho e foi para o posto de gasolina com o propósito de averiguar se alguém, além da polícia, finalmente tinha começado a se interessar por suas ações.

Era mais do que ele podia imaginar. A primeira página inteira do *Dagbladet* estava estampada com o título: MISTERIOSO BANHO DE SANGUE EM OSLO, com o subtítulo: POLÍCIA TENTA ENCONTRAR VÍTIMAS. Uma pequena fotografia no canto mostrava uma viatura da polícia, um pedaço da fita isolando a cena do crime e cinco policiais. Ela era pequena comparada ao título, mas talvez a mancha de sangue sozinha não resultasse em uma boa fotografia. O retrato teria que ser colorido, no mínimo.

Da próxima vez, quem sabe, ele pensou antes de tomar a sua segunda chuveirada em cinco horas. *Na próxima vez.*

Eles se sentiam como personagens de um filme medíocre de TV americano. Estavam deitados em um típico apartamento de solteiro em uma gigantesca cama sem graça pintada de branco, com a cabeceira inclinada com um rádio e um despertador embutidos. Mas o colchão era bom. Ao se levantar, Håkon timidamente vestiu a cueca e foi até a cozinha. Algum tempo depois, ele voltou com dois copos de refrigerante tinindo, com cubos de gelo e um sorriso torto.

– Ele é um cara legal.

Seu amigo tinha se conformado com isso agora. Era a quarta vez que Håkon, de modo constrangedor, pedia o apartamento do amigo emprestado por algumas horas. Da primeira vez, o amigo não conseguiu entender por que Håkon não podia levar sua parceira sexual para o próprio apartamento, mas, no fim, ele sorria e entregou as chaves.

– Todos nós temos nossas preferências – ele falou, assegurando a Håkon que ficaria fora por cinco horas.

Desde então, o amigo ainda não tinha feito nenhum comentário, simplesmente entregava as chaves e instruía Håkon sobre quanto tempo ele poderia ficar. Dessa vez, porém, ele perguntou se não havia mais ninguém que tivesse um apartamento que Håkon pudesse pedir emprestado, já que não estava sendo de todo conveniente.

Mas, quando ele viu o rosto de Håkon, imediatamente mudou de ideia. Ele não imaginava que era o único que recebia esse tipo de solicitação peculiar de Håkon Sand em intervalos regulares.

Não demoraria muito até o proprietário voltar.

Håkon olhou discretamente para o relógio, mas não de forma inteiramente discreta.

– Sim, eu sei – ela falou. – Nós temos que levantar.

Ao se mover, ela repentinamente declarou:

– Eu estou muito cansada de ter que encontrá-lo assim.

Como se fosse escolha dele. Ele preferiu não responder.

– Na verdade, eu estou farta de quase tudo – ela prosseguiu ao vestir suas roupas com movimentos rápidos e bruscos.

– Estou pensando em acabar com isso.

Håkon Sand podia sentir sua paciência chegando ao limite.

– Oh, sim. Com esta situação? Ou com o cigarro, talvez?

Ela fumava muito e, se ele não estivesse realmente irritado, estaria, no mínimo, preocupado com ela. Ele presumiu, todavia, que não era do cigarro que ela estava pensando em desistir. Era dele. Ela insinuava isso a cada três vezes que se encontravam. Antes, isso o deixava aterrorizado e totalmente desesperado. Atualmente, só lhe causava irritação.

– Ouça, Karen – ele começou. – Não dá para continuar assim. Você tem que se decidir agora. Você me quer ou não?

A mulher parou de repente; em seguida, andou em volta da cama, fechando a calça.

– Você sabe – ela falou, sorrindo. – Eu não falava de você. Eu não estava me referindo a nós. Eu estava falando do meu trabalho. Eu acho que deveria desistir do meu trabalho.

Aquilo era ainda mais incompreensível. Ele se sentou na beira da cama. Desistir do trabalho? Ela era a sócia mais jovem de um renomado escritório de advocacia e ganhava somas astronômicas de dinheiro, era o que ele pensava, e ela raramente insinuava qualquer coisa que indicasse que não fosse feliz assim.

– Oh, bem – foi tudo o que ele proferiu.

– O que você acha?

– Não, eu ac...

– Esqueça.

– Eu não quis dizer isso! Eu gostaria de falar sobre o assunto.

– Não, esqueça isso. Sinceramente. Nós não vamos discutir isso agora. Outra hora, talvez.

Ela se acomodou ao lado dele.

– Eu estou pensando em ir para a casa de campo na sexta-feira. Você quer vir?

Sensacional. Ela queria levá-lo à casa de campo. Dois dias e meio juntos. O tempo todo. Sem precisar se esconder. Sem ter que se levantar e seguir caminhos diferentes após fazer amor. Incrível.

– Eu realmente adoraria – ele gaguejou, percebendo no mesmo segundo que a casa dela não existia mais. Ele tinha uma grande e horrível ferida na perna de quando a construção fora completamente incendiada, do chão ao teto, fazia seis meses. A cicatriz ainda latejava quando o clima estava ruim.

– Vai ser um tanto arejado, não acha? – ele perguntou secamente.

– Não estou falando em ficar na minha casa. É na do meu vizinho. Assim, poderemos arrumar o lugar e nos divertir nos intervalos.

Então, ele se deu conta de mais uma coisa. Ele havia aceitado o convite surpresa para jantar no apartamento de Hanne Wilhelmsen.

– Que droga!

– O que foi?

– Eu tenho um compromisso. É o dia do jantar. Hanne Wilhelmsen me convidou para ir à casa dela.

– Hanne? Achei que vocês nunca se encontrassem fora do trabalho.

Karen Borg conhecia Hanne Wilhelmsen. Elas haviam se encontrado havia alguns meses, e a policial tinha deixado uma impressão marcante. Além disso, Håkon dificilmente poderia contar uma história sobre o seu trabalho sem que a investigadora não estivesse incluída. Mas ela achava que eles não passassem de colegas.

– Nós nunca nos encontramos. Até agora. Ela me convidou ontem à noite, na verdade.

– Você não pode cancelar? – ela sugeriu, passando as mãos pelo cabelo dele.

Por uma fração de segundo, um "claro que sim" alcançou a ponta de sua língua. Então, ele balançou a cabeça. Uma coisa era dispensar sua mãe para atender a Hanne. A família era de algum modo diferente. Mas ele não poderia dizer não a Hanne simplesmente porque uma opção mais interessante tinha surgido.

– Não, eu não posso fazer isso, Karen. Eu disse que realmente gostaria de ir.

Um silêncio se abateu sobre eles. Então, ela sorriu e pressionou a orelha dele com os lábios. Ele ficou todo arrepiado do pescoço para baixo.

– Você é um cara legal – ela sussurrou. – Um homem encantador e confiável.

・・

A jovem mãe com cabelo vermelho esvoaçante estava completamente transtornada. Não conseguia encontrar seu menino em lugar nenhum. Ela estava correndo a esmo para lá e para cá nas ruas estreitas da parte antiga da área residencial, inclinando-se sobre cada muro, gritando desesperadamente.

– Kristoffer! Kristoffer!

Ela tinha tirado um cochilo no calor e o vira pela última vez quando tinham acabado de jantar: almôndegas com chucrute. A criança de 3 anos de idade só queria comer purê de batatas com molho.

Estava quente demais para discutir com uma criança que estava numa fase desafiadora. Além do mais, era domingo, e ela precisava de um pouco de paz e sossego.

Depois de comer, ela pegou um livro e se acomodou na espreguiçadeira nos fundos da charmosa casa antiga que alugara de um tio. Cheia de correntes de ar e um tanto deteriorada, não era exatamente o que se poderia chamar de ideal para crianças, mas o aluguel era barato, a vizinhança era tranquila e não tinha muito trânsito. Ela havia colocado o menino na caixa de areia que seu tio gentilmente tinha construído no jardim, atrás da casa. Ele estava tagarelando e se divertindo. Ela devia ter caído no sono.

Agora, estava consumida pelo desespero e aos prantos. Tentou se convencer de que ele não poderia ter ido muito longe naquele intervalo de aproximadamente meia hora em que ela tinha cochilado.

– Pense – falou com determinação para si mesma, cerrando os dentes com força. – Pense! Aonde ele costuma ir? Onde é emocionante e ao mesmo tempo proibido de ir?

Ela foi tomada pelo terror com a resposta que lhe veio à mente, parou e se virou para encarar a estrada que passava a 300 metros descendo a ladeira, com todas as pequenas casas velhas e os jardins. Não. Ele não poderia ter ido lá. Ele não poderia.

Uma mulher idosa usando um avental e luvas de jardinagem estava de pé ao lado de uma cerca viva enquanto ela dobrava a esquina da rua, a cerca de 150 metros de casa.

– Você perdeu o Kristoffer? – ela perguntou gentilmente com certa superficialidade, já que a jovem havia chamado seu filho ao percorrer todo o caminho.

– Sim. Não. Não o perdi. Eu simplesmente não consigo encontrá-lo.

Seu sorriso forçado de resignação encorajou a senhora a tirar as luvas decididamente.

– Vamos. Eu vou ajudá-la. Ele provavelmente não está muito longe – ela consolou a mãe.

Elas formaram um par estranho ao prosseguir com a busca. A mulher ruiva, muito nervosa, corria de um lado para o outro nas ruas com suas longas pernas sardentas. A idosa foi mais sistemática, foi de casa em casa, perguntando aos moradores se eles tinham visto a criança de 3 anos de idade.

Por fim, chegaram ao ponto mais distante da colina. Não havia nenhum garoto ali, e ninguém mais o tinha visto também. Só a floresta estava à frente das duas mulheres, uma, confusa e ansiosa; a outra, tomada de preocupação.

– Onde ele pode estar? – a mãe de Kristoffer soluçava. – Ele não ousaria ir para a floresta sozinho. Talvez ele tenha descido. Para a rodovia.

O simples pensamento a fez convulsionar em lágrimas.

– Não, não. Acalme-se. Não vamos pensar no pior. Se algo tivesse acontecido ali, teríamos ouvido a ambulância há muito tempo – a mulher mais velha a consolou, sem nenhuma lógica.

– Mamãe!

Radiante de alegria, um menino veio andando com as perninhas bronzeadas de fora, por um caminho no jardim, segurando um balde em uma mão e uma pá de plástico na outra. Se aquilo pudesse ser chamado de caminho no jardim. A casa mais próxima da floresta estava desocupada havia uma década, algo que a propriedade claramente mostrava. Se a entrada não fosse coberta por uma espessa camada de cascalho, ela teria se fundido completamente com o jardim cheio de mato.

– Kristoffer! – soluçou a mãe, correndo na direção do menino.

Surpreso com a intensidade do encontro, ele permitiu que ela o erguesse e o abraçasse até que ficasse sem ar.

– Eu encontrei um pirata, mamãe – ele relatou orgulhoso e animado. – Um pirata de verdade!

– Isso é maravilhoso, querido! – a mãe respondeu. – Maravilhoso! Mas você tem que me prometer que nunca mais irá tão longe novamente. A mamãe ficou muito assustada, entende? Agora vamos voltar para casa e tomar um pouco de suco. Eu acho que você deve estar com muita sede.

Ela olhou para a senhora sinceramente agradecida.

– Muito obrigada, sra. Hansen. Muito, muito obrigada. Eu estava muito preocupada.

– Sim, está tudo bem, sem problema.

A sra. Hansen sorriu e segurou a mão do menino para acompanhar a pequena família até chegarem em casa.

– Eu quero mostrar o pirata para você, mamãe – ele protestou, afastando-se das mulheres. Você tem que ver o meu pirata.

– Hoje não, querido. Nós podemos ir para casa, pegar o seu navio pirata e brincar com ele em vez disso.

O lábio inferior do menino começou a tremer.

– Não, mamãe. Eu quero ver o pirata de verdade!

Ele ficou parado e começou a desafiá-la no meio da estrada, recusando-se a obedecer.

A sra. Hansen interferiu:

– Nós vamos dar uma rápida olhada no seu pirata e, então, você e sua mãe vão para casa comigo. Nós vamos nos divertir, certo?

O último comentário foi dirigido para a jovem. Ela sorriu de novo com gratidão, segurando a mão do menino, e os três adentraram no jardim cheio de mato. Para dizer a verdade, as duas mulheres ficaram um pouco curiosas para saber o que o garoto havia encontrado.

Mesmo em uma brilhante e luminosa tarde de domingo, a casa parecia bastante assustadora. A pintura tinha descascado na maioria dos lugares fazia muito tempo. Alguém, provavelmente adolescentes sem nada melhor para fazer, havia quebrado todas as janelas. Isso tinha ocorrido muitos anos atrás e, mesmo aquelas jovens almas inquietas haviam perdido o interesse na construção, que se tornara uma presa fácil para os estragos do tempo. Urtigas cresceram praticamente até a altura da cintura em algumas partes do jardim. Mas, nos fundos, onde quase ninguém havia estado em muitos anos, um tipo de grama lutava para continuar viva e fortalecida no chão até o momento. Embora houvesse vários tipos de grama. Parecia uma pradaria.

Quando eles rodearam a casa, o menino correu para um pequeno galpão na outra extremidade do jardim. A mãe temeu que o menino entrasse pela porta semiaberta e o advertiu. Não era necessário. O menino não iria entrar ali. Ele se agachou ao lado de uma das paredes, sorrindo de maneira incomum e cheio de orgulho para as duas mulheres, usou a pá com o propósito de mostrar um pequeno buraco enquanto exclamava em voz alta:

– Olhem! Lá está o meu pirata!

Era uma cabeça humana.

Intuitivamente agarrando o garoto, a mãe recuou a poucos metros do local. Ele começou a gritar:

– Eu quero ver! Eu quero ver!

A sra. Hansen assumiu o controle da situação rapidamente.

– Tire-o daqui. Diga ao meu marido para chamar a polícia. Eu vou ficar aqui. Depressa!

Ela proferiu a última palavra enquanto a mãe de cabelos ruivos, perplexa e quase paralisada, continuava estática, olhando para o buraco no chão. Ela se afastou da visão grotesca e correu de lá levando a criança que se debatia e gritava, deixando balde e pá caídos na grama.

Kristoffer tinha cavado uma área de cerca de 40 cm². A cabeça não tinha sido enterrada profundamente, estava, no máximo, a 30 centímetros de profundidade.

A sra. Hansen não compreendia como o menino tinha conseguido cavar tanto. Um animal poderia ter começado o trabalho.

Poderia ser uma mulher. Parecia uma mulher. A parte inferior da face estava embrulhada em um pedaço de pano, que parecia estar amarrado ao redor da cabeça. A boca do cadáver estava aberta, de modo que os dentes do maxilar tinham sido forçados para a frente. Sob o tecido, ela claramente podia ver uma depressão onde a boca formava um grande O. As narinas eram descomunalmente grandes e estavam cheias de terra. Apenas um dos olhos era visível, que estava entreaberto. Havia uma mecha escura de cabelo cobrindo o outro olho tão plana que se assemelhava a uma faixa de cabeça mal posicionada. Quase como um pirata.

Alguns minutos depois, a sra. Hansen ouviu as sirenes da polícia se aproximando. Em pé, ela passou as mãos nas pernas repletas de varizes dolorosas e depois foi até o portão para levar a polícia até a cova.

SEGUNDA-FEIRA, 7 DE JUNHO

Hanne Wilhelmsen estava desesperada. Um assassinato terrível era a última coisa de que realmente precisava naquele momento. Ela protestou com tanta veemência que o superintendente quase permitiu que ela fosse poupada mais uma vez. Quase.

– Não há o que discutir, Hanne – ele concluiu finalmente com um tom na voz que não dava chance para ela se opor. – Todos nós já estamos carregando muito peso nas costas. Você assumirá esse caso.

Ela estava à beira das lágrimas. Tentando não fazer algo de que se arrependesse mais tarde, silenciosamente segurou os papéis que ele lhe havia entregado e saiu sem dizer uma palavra. De volta à sua sala, ela respirou profundamente, fechou os olhos e, de repente, percebeu que isso poderia ser o pretexto para se livrar do jantar combinado com Håkon Sand na sexta-feira. Portanto, serviria para alguma coisa, afinal.

O corpo era, como a sra. Hansen presumira, de uma mulher. Em um exame superficial no sítio da descoberta, Hanne ficou tocada ao saber que a moça encontrada deveria ter seus vinte e poucos anos, cerca de 1,60 m de altura, origem estrangeira, estava nua, somente uma tira de pano amarrada em volta da cabeça, apertando firmemente a boca, além de a garganta ter sido cortada. O calor e o fato de ela não estar coberta com plástico ou roupas tornavam mais difícil determinar o tempo exato da morte. O cadáver estava em um estado mais avançado de decomposição do que provavelmente estaria em outras circunstâncias. A primeira hipótese considerada era a de que o cadáver deveria estar ali havia 15 dias. A perícia determinou que amostras de solo fossem recolhidas juntamente com as medidas exatas da profundidade em que ela fora enterrada. Uma avaliação mais precisa sobre a data da morte estaria brevemente disponível. O corpo seria examinado para averiguar se houvera violência sexual. Se a mulher tivesse sido assassinada imediatamente após o abuso, era possível que o sêmen permanecesse na vagina por um período mais prolongado.

Hanne Wilhelmsen tirou uma fotografia do pescoço da mulher usando uma Polaroid. As características do corte indicavam que tinha sido uma facada. Ferimentos comuns oriundos de uma facada geralmente eram mais simples, como se fossem pequenas canoas elípticas em que o centro tinha a tendência de formar uma protuberância desagradável. Os talhos apresentavam características bem semelhantes; no entanto, eram mais compridos e mais largos. Eram mais estreitos nas pontas e mais abertos no meio, mantendo o formato da canoa. Contudo, esse corte foi produzido ao esfaquear o pescoço primeiramente embaixo de uma orelha. A ferida estava aberta e levemente chanfrada, como se o assassino tivesse precisado enfiar a faca várias vezes até conseguir um golpe eficiente. Na sequência, um arco foi feito na parte da frente do pescoço, uma fissura que ia diminuindo e terminava com as extremidades limpas.

Eles não tinham ideia de quem ela era. Verificaram todos os registros de pessoas desaparecidas do último ano, apesar de, sem dúvidas, tratar-se de um cadáver recente. Nenhuma das descrições batia.

Hanne Wilhelmsen foi ficando tonta. Depois de um incidente havia alguns meses, em que fora golpeada por um meliante ao sair de sua sala, resultando em uma concussão, ela passou a ter crises de tontura, principalmente no calor. A quantidade de trabalho também contribuía para isso. Ela se apoiou na mesa até que o pior passasse; em seguida, levantou-se e deixou a sala. Eram 20h30. Uma semana de trabalho tinha chegado ao fim para dar lugar a outra, pior.

Ao lado da escadaria, que vai do térreo até o sétimo andar, no canto oeste da varanda, Håkon Sand conversava com um colega. Ele vestia suas melhores roupas, mas parecia se sentir desconfortável com elas. Uma grande maleta estava próxima dele.

Ele ficou feliz, de algum modo, ao ver Hanne e encerrou a conversa com o colega, que desapareceu na galeria em direção à zona amarela.

– Não vejo a hora de chegar sexta-feira.

Ele deu um largo sorriso.

– Eu também – ela respondeu, tentando soar sincera.

Eles ficaram ali, apoiando-se na grade e observando a enorme sala aberta mais abaixo de onde estavam. De um lado, havia uma escassez anormal de pessoas.

– Pelo jeito, ninguém está precisando tirar passaporte esses dias – Håkon ressaltou.

Ele tentou explicar por que as funcionárias dos guichês de emissão de passaportes, geralmente tão ocupadas, estavam sentadas e conversando.

– Nesse caso, é uma boa época para viajar ao Alasca ou a Svalbard – e prosseguiu. – Mas é claro que você não precisa de um passaporte para ir a esses lugares – ele acrescentou constrangido.

Se houvesse noruegueses requerendo passaportes, seriam as pessoas naquela extremidade da sala. Os estrangeiros estavam amontoados no lado em que a polícia de imigração ficava. Pareciam mal-humorados, mas pelo menos não estavam tão incomodados com o calor.

– Que diabos está acontecendo ali? – Hanne perguntou. – Estão fazendo uma contagem de todos os imigrantes ou o quê?

– Não exatamente. Estão realizando uma dessas campanhas malucas novamente. Vão para locais públicos e trazem todo mundo com cabelo preto para verificar se estão aqui legalmente. Excelente uso de recursos. Principalmente agora.

Ele suspirou. Deveria estar no tribunal em 20 minutos.

– O chefe do DIC, Divisão de Investigação Criminal, alega que existem mais de 5 mil imigrantes ilegais na cidade. Cinco mil. Eu não acredito nisso! Onde eles estão?

Hanne Wilhelmsen não achava que a campanha fosse tão inadequada. Ela só não era a favor de desperdiçar recursos tão necessários para encontrá-los. Outro dia, ela ouviu o chefe do departamento de imigração mencionar no programa *Dagsnytt Atten* que eles "perdiam" 1.500 asilados todos os anos, pessoas que tinham registro ao entrar no país, mas depois não se ouvia mais nada a respeito delas. Isso significava que restavam apenas 3.500, obviamente, ela pensou tediosamente.

– Metade deles deve estar ali embaixo – ela respondeu tardiamente à pergunta dele, apontando para as pessoas aglomeradas abaixo.

Håkon Sand olhou para o seu relógio. Ele tinha que ir.

– Nós continuaremos depois – ele gritou ao sair apressado.

Era uma questão trivial. Dois imigrantes haviam chegado ao limite de uma discussão sobre comida no Centro de Recepção para Requerentes de Asilo em Urtegata. Um era iraniano; o outro, curdo. Håkon Sand não estranhava que eles sempre perdessem a calma. Ambos esperavam havia mais de um ano que seus requerimentos fossem processados. Ambos eram homens jovens, na idade mais empregável. Eles ofereciam cinco horas de aulas de norueguês por semana, o restante do tempo era um mar de frustração, incerteza e muita ansiedade.

Seus caminhos tinham se cruzado em uma sexta-feira à noite e resultou em um nariz quebrado para o mais fraco dos dois, o curdo. Artigo 229, parágrafo 1º do Código Penal. Embora o iraniano tenha ganhado um olho roxo, os policiais zelosos garantiram que, mesmo nesse caso banal, a justiça seria cumprida ao máximo. O rapaz foi representado por um advogado da Assistência Jurídica, que provavelmente mal tinha conversado com ele e menos ainda lido os documentos. Mas a rotina prosseguiu. Para Håkon Sand também.

A sala número 8 do tribunal era pequena e estava deteriorada. Não havia ar-condicionado e o barulho da rua impossibilitava que as janelas fossem abertas. Após optarem pela construção de um novo tribunal, havia muitos anos, evidentemente, gastar um centavo na antiga construção estava fora de cogitação, embora o novo edifício estivesse demorando para ficar pronto.

A toga preta, usada por centenas de promotores antes dele, cheirava mal. Ele suspirou como se fosse desmaiar, disparando um olhar para o advogado que estava ao lado do balcão. Quando se encararam, eles fizeram um acordo silencioso para que os casos fossem resolvidos rapidamente.

O iraniano de 22 anos deu seu depoimento primeiro. Um intérprete completamente inexpressivo traduzia o que o rapaz relatava. Naturalmente, era um resumo editado; o acusado falava por três minutos, e o intérprete, apenas trinta segundos. Coisas desse tipo irritavam Håkon Sand, mas hoje ele não ficaria alterado. Em seguida, foi a vez do curdo. O nariz dele ainda estava machucado, mesmo na fase final do melhor tratamento que o serviço de saúde norueguês poderia oferecer.

Para concluir, um funcionário do Centro de Recepção entrou e fez sua declaração. Um norueguês. Ele tinha presenciado a briga. O acusado tinha ido para cima da vítima. Um golpeou o outro diversas vezes até que o curdo acabou caindo no chão como um saco de batatas depois de levar um soco impressionante do outro homem.

– Você interveio? – inquiriu o advogado na sua vez de fazer perguntas. – Você tentou separá-los?

O norueguês olhou para baixo, na tribuna onde ele estava um tanto envergonhado. Ele não tinha feito isso. Essas brigas entre estrangeiros eram assustadoras. Facas surgiam com frequência no meio desses conflitos. Ele buscou os olhos dos dois magistrados, como se pedisse ajuda, mas recebeu apenas olhares vazios.

– Você viu alguma faca?

– Não.

– Você tem motivos para crer que facas estariam envolvidas?

– Sim, sabe, como eu disse, geralmente, sempre.

– Mas você viu alguma neste caso? – a defesa interrompeu irritada. – Teve algum fato nessa briga em particular que o tenha impedido de interferir?

– Não, realmente não.

– Obrigado. Sem mais perguntas.

Os procedimentos foram encerrados em 30 minutos. Håkon Sand guardou seus papéis, ciente de que uma sentença seria atribuída dessa vez também. Quando ele estava colocando a fina resma de documentos em sua maleta, um formulário cor-de-rosa caiu no chão. Era uma instrução judiciária do investigador. Ao pegá-la, o promotor leu o conteúdo antes de guardar o formulário no arquivo.

No topo da página, estava o nome dele. A instrução tinha sido escrita à mão. Na descrição constava "Referente ao refugiado número 90045621, Shaei Thye, acusado de agressão."

De repente, ele se deu conta. Os números desenhados no sangue em todos os massacres de sábado à noite. Eles eram, claro, números do controle de imigração. Todos os estrangeiros tinham um. Números de registro.

※

Havia uma versão belíssima da Deusa da Justiça sobre sua mesa. Esplêndida e cara, a escultura de bronze parecia não pertencer ao espaço apertado de 8 m², escritório extremamente público. Ele se sentou e atirou bolinhas de papel em cada balança que a mulher segurava com o braço estendido. Elas balançavam de um lado para o outro por causa do peso minúsculo.

Finalmente Hanne Wilhelmsen chegou, reparando nas cortinas novas com satisfação.

– Pensei que ainda estivesse no tribunal – ela comentou. – Era o que parecia esta manhã.

– Levou uma hora e meia – ele respondeu, pedindo que ela sentasse. – Descobri a resposta!

O rosto de Håkon Sand estava corado, mas não era por causa do calor.

– Aqueles números escritos no sangue em todos os massacres de sábado, sabe o que são?

Hanne Wilhelmsen fitou Håkon Sand por 30 segundos. Ansioso e pronto para lançar a bomba, ele ficou desapontado quando ela respondeu:

– Números de registro de imigração!

Ela se levantou abruptamente e deu leves pancadas na parede com o punho.

– Claro! Como não percebemos isso antes? Estávamos cercados por esses números, óbvio!

Håkon Sand não conseguia compreender como ela havia se dado conta disso antes de ele abrir a boca. O espanto nos olhos dele era tão evidente que ela entendeu que deveria dar algum crédito a ele.

– Não conseguimos enxergar o que estava à nossa frente. Honestamente, eu não tinha dado a atenção devida a esses números. Até agora. Brilhante, Håkon! Eu não teria pensado nisso sozinha. Ao menos hoje, não.

Håkon não fez mais perguntas e engoliu seu orgulho ferido. Ambos mediam as consequências de sua descoberta. Nenhum dos dois dizia nada.

Quatro banhos de sangue. Quatro números diferentes. Números do controle de imigração. Um corpo encontrado. Supostamente uma estrangeira. Alguém com um número de registro de imigração.

– Deve haver mais três deles – Håkon Sand disse finalmente.

– Mais três corpos. Na pior das hipóteses.

Na pior das hipóteses. Hanne Wilhelmsen estava totalmente de acordo. Porém, havia outro aspecto desse caso que a aterrorizava mais que o fato de talvez existir mais três corpos lá fora, em algum lugar mortos e enterrados.

– Quem possui acesso às informações sobre requerentes de asilo, Håkon? – ela perguntou calmamente, embora soubesse a resposta.

– O pessoal do departamento de imigração – ele respondeu prontamente. – E do departamento de justiça, claro. Um número grande, além das pessoas que trabalham nos centros de recepção, eu acho – ele acrescentou, pensando no norueguês constrangido que permaneceu imóvel ao ver dois requerentes de asilo se agredindo e não interferir.

– Sim – ela concordou.

Mas ela pensava em algo totalmente diferente.

∗

Todos os outros casos foram postos de lado naquele período. Com uma eficiência que impressionou a maioria dos envolvidos, os recursos do distrito foram reorganizados em menos de uma hora. A sala de operações ao final da zona azul de repente havia se transformado em uma central de atividades frenéticas. Havia, entretanto, pouco tempo para cancelar a reunião que o superintendente insistia em realizar, e eles se reuniram na sala de conferências, que era bastante conveniente, uma vez que essa sala sem janelas ficava próxima ao refeitório e já era hora do almoço.

O chefe da DIC, redondo como uma bola e com um semblante extremamente ingênuo sob seus finos cachos grisalhos, também estava presente. Ele estava sentado e comia um enorme sanduíche. A maionese escorria pelas duas fatias de pão, e o líquido branco caiu como uma larva gorda e asquerosa na calça da farda demasiadamente apertada.

Envergonhado, ele limpou a sujeira com o dedo indicador, tentando minimizar os danos ao esfregar a mancha escura. Ela ficou ainda maior.

– Isso é muito sério – o superintendente começou.

Ele era um homem muito bonito, tinha porte atlético e ombros largos, seu cabelo curto e escuro contornava o topo da cabeça calva. Seus olhos eram profundos e bem definidos, mas, ao observá-los mais de perto, eram grandes, intensos e castanhos bem escuros. Ele usava uma calça de verão de cor clara e uma camisa polo justa, com gola e botões na parte da frente.

– Arnt?

O homem convidado a falar afastou sua cadeira da mesa, mas não se levantou.

– Eu verifiquei os números de registro no sangue. Eles não estavam totalmente nítidos em todos os lugares, mas chegamos à seguinte interpretação...

Pegou um cartaz e o mostrou.

– ... esta é a interpretação mais provável, pois todos os números pertencem a mulheres.

A sala ficou em silêncio.

– Todas elas têm entre 23 e 29 anos. Nenhuma veio à Noruega acompanhada. Nenhuma tinha conhecidos aqui. E, além de tudo isso...

Eles sabiam o que ele iria relatar. O superintendente sentia o suor escorrendo pelas laterais da cabeça. O chefe da DIC estava bufando como um buldogue no calor. Hanne Wilhelmsen queria, mais do que todos, sair dali.

– ... todas elas desapareceram.

Após uma longa pausa, que ninguém estranhou, o superintendente falou novamente.

– O corpo pode ser de alguma delas?

– É muito cedo para dizer. Mas certamente estamos trabalhando nisso.

– Erik, você obteve algum progresso na investigação sobre o sangue?

O policial se levantou, diferentemente de seu colega mais experiente Arnt.

– Eu telefonei para todos os abatedouros – ele respondeu de forma entrecortada, por conta da tensão. – Vinte e quatro lugares. O sangue pode ter sido comprado por qualquer pessoa mesmo. Sobretudo de bovinos. A maioria das vendas exige um aviso provisional com antecedência. Mas esse mercado praticamente já não existe. Ninguém mais faz sua própria morcela, ao que tudo indica. Ninguém relatou nada de anormal, o que quer dizer que não houve vendas em um grande volume.

– Muito bem – respondeu o superintendente. – Continue se empenhando no caso.

Sentindo-se aliviado, Erik Henriksen se sentou novamente na cadeira.

– O chefe do departamento de imigração – Hanne Wilhelmsen murmurou.

– O que foi que você disse?

– O chefe do departamento de imigração – ela repetiu, mais alto dessa vez. – Eu ouvi uma entrevista com ele no rádio não faz muito tempo. Ele disse que as autoridades "perdem" 1.500 requerentes de asilo todos os anos.

– Perdem?

– Sim, eles vão embora, aparentemente. Parece que a maioria é expulsa, algo que eles já sabem. O departamento de imigração acredita que eles fujam sem dizer a ninguém. Para a Suécia, talvez, ou mais para o sul da Europa. Alguns deles simplesmente retornam para casa. Pelo menos é isso o que o chefe desse departamento acha.

– Ninguém os procura? – Erik questionou, arrependendo-se imediatamente.

Que as autoridades de imigração devessem perder tempo à procura de estrangeiros desaparecidos, quando estavam ocupados demais mandando o restante para fora do país, era um pensamento tão absurdo que os policiais mais experientes do recinto teriam rido em voz alta, se não fosse pelas atuais circunstâncias. E pelo calor. Além disso, havia o fato de eles saberem que tinham exatamente cinco dias para solucionar o mistério. Se eles não quisessem ter que investigar, no próximo sábado à noite outra poça de sangue, em algum lugar e com um novo número de registro desenhado em todo o caos vermelho.

Cinco dias era o que eles tinham. Seria melhor voltar ao trabalho.

⁂

Kristine Håverstad sentiu que estava se aproximando de um abismo. Nove dias haviam se passado. Nove dias e oito noites. Ela não tinha falado com ninguém. Houve, naturalmente, a troca esquisita de palavras com seu pai, mas ainda parecia que eles estavam cheios de rodeio. No fundo, cada um sabia muito bem o que o outro queria dizer, mas como começariam, como continuariam, não tinham ideia. Não conseguiam quebrar ou vencer a barreira que os aproximava, mas que ao mesmo tempo impossibilitava que se comunicassem.

Não havia vitória que ela pudesse registrar. O valium tinha ido por água abaixo. O álcool tinha tomado o lugar, o pai a observava com ares de preocupação, mas sem qualquer protesto, enquanto seu estoque de vinho tinto diminuía, e ela pedia a ele o favor de comprar mais. No dia seguinte, duas caixas de vinho foram colocadas na despensa da cozinha.

Seus amigos telefonavam, demonstrando ansiedade. Ela não aparecia na faculdade há uma semana, sua primeira ausência em quatro anos. Ela conseguiu se recompor e, falando alegremente, alegou estar terrivelmente gripada e garantiu a eles que não precisava de visitas, que eles apenas se contaminariam. Não havia mais nada a dizer sobre isso. Ela não conseguia suportar a atenção que tomaria conta do seu destino.

A lembrança da estudante de veterinária que tinha voltado para a aula depois de se ausentar por uns dias, há dois anos, ainda era muito marcante. A menina contou aos amigos mais próximos que ela havia sido estuprada por um aluno de medicina depois de uma festa bastante animada. Pouco tempo depois, todos ficaram sabendo. O caso foi arquivado pela polícia, e a estudante de veterinária tinha se retraído como uma flor seca desde então. Naquela época, Kristine sentiu pena da menina. Ela confidenciou um fato aos amigos e acabou dando espaço ao acusado falastrão de Bærum. Eles, no entanto, nunca procuraram a vítima. Pelo contrário, parecia haver algo de antiquado nela, algum traço imoderado e irracional. As pessoas acreditavam nela, é claro, pelo menos as meninas, mas ela seguia sem rumo, de algum modo, havia algo sobre ela, algo que dizia que era melhor manter distância dela.

O pior de tudo era ver seu pai. O homem forte e durão que sempre estivera ao seu lado, era para ele que ela corria quando o mundo ficava insuportável demais. O sentimento de culpa que ela sentia por todas as vezes que não o procurou quando algo fantástico aconteceu e que deveria ser comemorado devastava Kristine por dentro. Ela nunca tinha pensado no fardo que deve ter sido criá-la sozinho. Sempre tivera consciência de ter sido a responsável, de ter feito e dito tudo para impedir que ele se unisse a uma nova mulher, mas achava que tinha justificativa: era uma criança pequena e merecia consideração. Não queria uma nova mãe. Só quando ficou adulta é que entendeu que talvez ele precisasse de uma nova esposa. Estava profundamente envergonhada. A pior sensação não era a de estar destruída. A pior sensação era a de que seu pai estava.

Ela foi visitar a assistente social. A mulher parecia uma assistente social, atuava como assistente social, mas se via como psiquiatra. Era inútil. Se Kristine Håverstad não soubesse como era importante não desistir imediatamente, teria feito isso. Entretanto, ela daria uma chance àquele tipo de ajuda.

A princípio, ela iria para o chalé de verão que eles tinham. Não levaria muita coisa. Ficaria lá por apenas alguns dias. No máximo. Ela compraria comida na mercearia local.

Seu pai ficou quase feliz quando ela contou sua decisão na noite passada e deu a ela uma generosa quantia em dinheiro, encorajando-a a passar um tempo por lá. Ele disse que tinha um trabalho importante para fazer, servindo-se de mais uma porção de sopa. Havia emagrecido na semana anterior e ela percebeu que as roupas dele estavam ficando mais largas. Além disso, o rosto parecia diferente: não necessariamente mais fino, mas os traços estavam mais definidos, as linhas mais profundas. Ela também perdera três quilos. Aqueles três quilos que ela não tinha que perder.

Esforçando-se para agradar ao pai, ela decidiu fazer a viagem, embora não quisesse realmente. Seu chefe ficou furioso quando ela ligou para avisar que sua doença estava se prolongando e que ficaria ausente do trabalho por mais alguns dias.

Seu trabalho humanitário na Cruz Azul não era remunerado, tão pouco era empolgante; ela não conseguia explicar por que se dedicava a ele há mais de um ano. Gostava dos alcoólatras, talvez fosse isso. Eram as pessoas mais gratas do mundo.

A Estação Central estava lotada de pessoas. Ela teve que ficar em uma fila por aproximadamente 20 minutos até que o número de sua senha aparecesse na tela de LCD. Ela recebeu o que havia pedido e se deslocou para a sala de passageiros. O trem partiria em dez minutos.

Ao cruzar o terminal, ela entrou na revistaria Narvesen. A primeira página de todos os tabloides era idêntica: o corpo de uma mulher encontrado em um jardim afastado. Ela leu que a polícia estava utilizando todos os recursos de que dispunha. Imaginava isso. Ao menos não estavam trabalhando, no caso dela. Naquela mesma manhã, ela tinha telefonado para Linda Løvestad, sua consultora de apoio à vítima, para saber se havia novidades. A advogada foi apologética, não tinha nada para relatar, mas prometeu mantê-la informada.

Ao pegar um exemplar de *Arbeiderbladet,* Kristine Håverstad colocou a quantia certa de dinheiro sobre o balcão e seguiu para a plataforma. Ela folheou o jornal enquanto andava e tropeçou em uma embalagem de cachorro-quente jogada no chão. Para evitar que isso acontecesse novamente, ela dobrou o jornal e o guardou na bolsa.

Foi então que ela o viu. Ficou completamente chocada e paralisada, ela permaneceu ali por alguns segundos, sem mover um músculo. Era ele. O estuprador. O homem enorme caminhando pela Estação Central de Oslo em uma quente segunda-feira de junho. Ele não a viu, apenas andava e conversava com outro homem que o acompanhava. Estava falando algo engraçado evidentemente, pois o outro homem jogou a cabeça para trás e gargalhou bem alto.

Um tremor começou nos joelhos e subiu para as coxas, impossibilitando que Kristine Håverstad se movesse em direção a um banco, onde ela ficaria de costas para o agressor. Mas o que a deixou abalada não foi simplesmente o fato de se deparar com a vida real que ele tinha.

O mais pavoroso era que agora ela sabia onde encontrá-lo.

Quase ao mesmo tempo, o pai de Kristine estava no apartamento da filha, olhando pela janela. O prédio em frente não estava tão bem cuidado quanto o dela. A fachada estava toda descascada e havia duas janelas quebradas. No entanto, todos os apartamentos pareciam ocupados e muitos eram interessantes, pelo menos à distância. Em uma das janelas, no segundo andar, do lado oposto diagonalmente, à esquerda de onde ele estava sentado, percebeu uma sombra que parecia ser a de um homem. A julgar pela distância entre o peitoril da janela e o rosto do rapaz, parecia que ele estava sentado em uma poltrona baixa. Aquele indivíduo deveria ter uma visão perfeita do apartamento de Kristine.

Finn Håverstad rapidamente se levantou e saiu dali, fechou a porta com trava principal e também as com duas extras que ele havia instalado ineficazmente. Ao chegar à rua, tentou identificar qual campainha pertenceria ao apartamento que tinha visto. Não havia identificação no interfone, mas, resolveu arriscar, segundo andar à esquerda. A terceira campainha do fim para o topo à esquerda das duas fileiras. Não houve resposta, mas alguns segundos depois, ouviu o barulho indicando que alguém tinha apertado o botão que destrava a porta. O som eletrônico característico foi claramente ouvido, e ele cautelosamente tentou abrir a porta da frente. Foi fácil.

A escada estava tão deteriorada quanto a fachada do edifício, mas tinha cheiro de sabão ecológico. O homem grande subiu com determinação até o segundo andar. A porta era azul, com um retângulo de vidro fosco na altura da maçaneta. Acima da campainha havia um pequeno cartão preso com uma tachinha de cabeça de plástico vermelha. *E.* – era o que estava escrito. *E.* Nada mais. Ele tocou a campainha.

De dentro do apartamento veio um barulho terrível. Então, tudo ficou em silêncio. Håverstad tentou novamente, houve nova explosão de som. De repente a porta se abriu. Um homem atendeu. Era difícil estimar a idade dele, pois tinha uma aparência peculiar, praticamente assexuada, de um verdadeiro excêntrico. Rosto indescritível, nem feio, nem bonito. Quase sem barba. Pálido, com uma pele suave, livre de defeitos. Apesar do tempo, ele estava usando um suéter tradicional. Não parecia minimamente perturbado.

– *E.* – apresentou-se, estendendo a mão fria. – Meu nome é *E.* O que deseja?

Håverstad ficou tão surpreso com tal aparição que mal podia explicar seu propósito. Não havia muito que explicar, de qualquer maneira.

– Eh... – ele começou. – Eu gostaria de conversar com você sobre uma coisa.

– Sobre o quê?

Ele definitivamente não era hostil, apenas reservado.

– Eu queria saber se você está informado sobre o que anda acontecendo aqui no bairro – explicou Håverstad vagamente.

Era, claro, uma jogada astuta. Uma expressão de contentamento apareceu no semblante do homem.

– Entre – ele falou, esboçando um leve e indescritível sorriso.

Ele deu um passo para o lado e Håverstad passou pela porta. O apartamento estava impecável. Parecia quase desabitado e havia poucos indícios de que aquilo era, de fato, uma casa. Havia uma TV enorme em um canto com uma única cadeira na frente. Não existia sofá na sala de estar nem mesa. Na janela, que também não tinha cortinas, ficava a poltrona na qual Håverstad presumiu que o homem estava sentado quando ele olhou para o edifício em frente ao de sua filha. Era uma bela poltrona verde, com braços largos, cercada por várias caixas de papelão, semelhantes às que ele mesmo usava para guardar seus arquivos. Caixas para arquivos feitas de papelão rígido, alinhadas em volta da poltrona, como se fossem soldados a postos para defender sua cidadela verde. No assento, havia uma prancheta com uma caneta presa.

– É aqui que eu moro – *E.* falou. – Onde eu vivia antes era melhor, mas minha mãe morreu, e eu tive que me mudar.

A lembrança fez despontar uma expressão de tristeza em seu rosto indefinível.

– O que você tem naquelas caixas? – Håverstad perguntou. – Você coleciona algo?

E olhou para Håverstad com desconfiança.

– Sim, é isso – ele respondeu, sem dar muitos detalhes sobre o conteúdo das 20, 25 caixas.

Håverstad teria que introduzir o assunto de maneira diferente.

– Você provavelmente observa muita coisa, não é mesmo? – questionou ele, demonstrando interesse ao se dirigir para a janela.

Embora o vidro mostrasse sinais de idade, era tão limpo quanto o resto da casa. Havia um leve aroma de limão no ar.

– Você tem uma poltrona confortável aqui – ele prosseguiu, sem olhar para o homem.

E. pegou a prancheta e ficou em pé, abraçado com ela, como se valesse seu peso em ouro. Talvez valesse.

– Existe alguma coisa especial em que você esteja interessado?

O homem estava obviamente confuso. Håverstad percebeu que as pessoas não costumavam conversar com ele. Ele, evidentemente, queria conversar. Levaria o tempo que fosse necessário.

– Bem, sim e não – respondeu E. – Tem um monte de coisas acontecendo neste momento lá fora.

Um recorte de jornal estava saindo de uma das caixas de papelão. Metade do rosto de uma política estava sorrindo para ele.

– Você se interessa por política? – ele sorriu, curvando-se para ver do que se tratava.

E. antecipou o movimento de Håverstad.

– Não toque! – ele bufou, removendo a caixa fechada bem embaixo do nariz dele. – Não toque nas minhas coisas!

– Não, claro que não, claro que não!

Finn Håverstad pôs as mãos para o alto em um gesto de rendição, perguntando ao mesmo tempo se não deveria simplesmente ir embora.

– Você pode ver isso – E. disse de repente.

Era como se tivesse lido seus pensamentos e percebido que ele estava realmente necessitando de companhia, apesar de tudo.

Ele ergueu a segunda caixa da frente e a entregou para seu convidado.

– Críticas sobre filmes – esclareceu.

Realmente era o que havia na caixa. Comentários a respeito de filmes retirados de jornais, perfeitamente recortados e colados em folhas A4. Debaixo de cada resenha estava o nome do jornal e a data do artigo, ordenadamente escritos com uma caneta hidrográfica preta de ponta fina.

– Você vai ao cinema com frequência?

Håverstad não estava realmente interessado nos hábitos de E., mas pelo menos era um começo.

– Cinema? Eu? Nunca. Mas eles passam na televisão depois de um tempo, entende? É bom saber algo sobre os filmes, então.

Claro. Uma explicação razoável. Aquilo era um absurdo. Ele tinha que sair.

– Você pode ver isso também.

O homem estava consideravelmente mais aberto.

Ele abaixou a prancheta, mas a mantinha virada para baixo e entregou uma segunda caixa ao dentista. Era mais pesada que a anterior. E. olhou ao redor do cômodo, procurando um lugar para se sentar, mas o chão era a única possibilidade. A prancheta estava na poltrona verde, e a cadeira com encosto reto ao lado da televisão não suportaria seu peso.

Ele se agachou e abriu a caixa. E. se ajoelhou ao lado de Håverstad, como uma criança pequena feliz.

Eram números de placas de veículos. Em fileiras organizadas na folha de papel, dividida em três colunas. Um número foi cuidadosamente escrito embaixo do outro. Parecia que tinha sido digitado.

– Números de placas de carros – E. declarou desnecessariamente. – Eu os coleciono desde os 14 anos de idade. As primeiras 16 páginas são daqui. O restante é de onde eu morava... antes.

Novamente ele fez aquela expressão de tristeza, de autopiedade, mas ela desapareceu mais rapidamente dessa vez.

– Olhe para isso.

Ele indicou com o dedo.

– Nenhum dos números se repete. É uma sacanagem, sério. Somente números novos. Só os números que posso ver da janela. Aqui...

Ele apontou novamente.

– Aqui você vê a data. Há dias em que eu anoto cerca de 50 números. Em outros, são os mesmos que eu já tinha anotado. Nos fins de semana e assim por diante. Não há muitos, percebe?

Håverstad começou a suar. Seu coração dava solavancos como um motor de barco de pesca com problemas, ele se sentou no chão para evitar esforço nas pernas.

– Por acaso, você... – ele bufou – ... por acaso você tem alguns números da semana passada? De sábado, 29 de maio?

E. puxou uma folha e entregou a ele. No canto superior esquerdo estava escrito: Sábado, 29 de maio. Havia sete números registrados. Apenas sete!

– Sim, bem, são apenas os carros estacionados aqui, sabe – E. justificou avidamente. – Não tem por que anotar os que apenas passam.

As mãos do dentista estavam trêmulas. Ele não sentiu nenhum prazer com a descoberta. Apenas uma leve e quase dormente satisfação. Quase a mesma sensação de realizar um tratamento de canal sem causar muito desconforto ao paciente.

Você me permite copiar esses números?

E. pensou por um instante, depois deu de ombros e se levantou.

– Tudo bem.

Meia hora depois, Finn Håverstad estava sentado em casa encarando uma lista de sete números de placas de carros e um telefone. Felizmente, Kristine tinha ido para a casa de verão. Ele tinha bastante tempo. Tudo o que precisava fazer era descobrir quais dos registros correspondiam a carros vermelhos. E quem eram os donos. Ele ligou para a operadora e conseguiu o número de telefone do centro de registro de veículos em Brønnøysund, além dos telefones de cinco delegacias no leste da Noruega e começou a trabalhar.

O choque violento tinha passado e uma forte, quase libertadora, sensação de paz se instalou no lugar. Depois de passar alguns minutos se recompondo, Kristine deixou a Estação Central com a certeza de que seu agressor tinha desaparecido em uma das plataformas com a outra pessoa. Ela parou perto do ponto de táxi, em frente à estação, olhando a cidade em volta. Pela primeira vez em mais de uma semana, ela notou o clima, admirada. Estava muito agasalhada; tirou a blusa e a guardou na bolsa tiracolo. Por um momento, se arrependeu de não ter trazido sua mochila, a bolsa estava muito pesada para ser carregada em apenas um dos ombros.

Ao menos uma vez não havia fila para táxis. Todo mundo que saía da estação sem muita bagagem fazia o mesmo que ela. Surpresos com o calor agradável após sair do salão de passageiros climatizado, eles se espreguiçavam com o clima maravilhoso e resolviam usar as pernas. Um motorista de pele escura estava de pé, encostado no capô do carro, lendo um jornal estrangeiro. Ela se aproximou do homem, deu a ele o endereço da casa do pai e perguntou quanto custaria para levá-la até lá. Cerca de cem coroas, o homem achava. Ela entregou uma nota de cem coroas a ele e sua bagagem, certificou-se de que ele havia compreendido o endereço direito e pediu que deixasse a mala debaixo da escada.

– É uma enorme casa branca com molduras verdes – ela avisou pela janela aberta do táxi, quando ele engatou a marcha do carro.

Um braço peludo e descoberto fez um aceno amigável de afirmação da janela assim que o Mercedes arrancou.

Então, ela caminhou em direção à região de Homansbyen.

Ela odiava aquele homem intensamente. Desde que ele a destruíra naquele sábado à noite, apenas uma semana atrás, que no entanto parecia uma eternidade, ela não tinha experimentado mais nada além de impotência e tristeza. Durante horas, vagou pelas ruas, tentando superar uma confusão de sentimentos que não conseguia dominar. Dois dias antes, ela tinha ficado em frente à ferrovia, acima da estação Majorstua, exatamente na curva depois do túnel, invisível para todos, até mesmo para o condutor do trem. Ela ficou ali parada, ouvindo o trem se aproximar. À distância de apenas um metro do trilho. Quando a carruagem de chumbo repentinamente surgiu na curva, ela ainda não tinha ouvido o apito penetrante. Continuou lá, hipnotizada, estática, sem pensar em atirar-se nos trilhos. O trem passou rapidamente, e o vento foi tão forte que ela precisou dar um passo para trás, a fim de manter o equilíbrio. Havia apenas um centímetro ou dois entre o rosto dela e as carruagens estrondosas.

Não era ela quem não merecia viver. Era ele.

Ela chegou ao apartamento. Hesitou por um momento na porta e entrou.

Estava exatamente como antes. Ela ficou surpresa com o fato de parecer tão convidativo, tão confortável. Ela vagueou pelo local, tocando seus pertences, acariciando-os e percebeu que uma leve camada de poeira pairava por todos os lugares. Diante da luz ofuscante do dia lá fora, ela enxergava as partículas de poeira dançando, como se elas estivessem felizes em vê-la de novo, agora que ela estava de volta. Cautelosamente, Kristine abriu a geladeira, sentindo um leve cheiro de ranço. Ela colocou os alimentos perecíveis, que já começavam a embolorar – um queijo, dois tomates e um pepino que se desmanchou em sua mão –, em um saco de lixo que depositou do lado da porta da frente para não se esquecer de levá-lo ao sair.

A porta do quarto estava entreaberta. Kristine se aproximou do corredor apreensivamente, onde a porta, que abria em sua direção, bloqueava sua visão. Depois de pensar por um segundo, caminhou resolutamente para o quarto.

Ela se perguntou quem teria recolocado as colchas na cama, que estavam meticulosamente dobradas, com os travesseiros sobre o colchão, no lado dos pés. E a roupa de cama que ela tinha arrancado não estava ali. Obviamente, havia sido levada para análise.

Quase contra a vontade, seu olhar foi atraído para os dois adornos de pinho na parte superior de cada pé da cama. Mesmo da porta, era possível ver as fissuras irregulares escuras deixadas pelos arames que tinham sido fixados ali. Não estavam mais lá. Não havia nada no belo e pequeno apartamento que revelasse o que tinha acontecido no sábado, 29 de maio. Com exceção dela mesma.

Insegura, ela se sentou na cama, mas se levantou bruscamente, jogando as colchas no chão, e olhou para o meio do colchão. Não havia nada lá também além das manchas familiares que reconhecia. Ela se sentou novamente.

Kristine odiava aquele homem com todo o seu coração. Uma aversão libertadora e devoradora corria, como se fosse uma haste de aço, por toda sua espinha. Nunca tinha sentido isso até aquele momento. Ver o homem enorme passeando, como se nada tivesse acontecido, como se a vida dela fosse algo trivial que ele tinha arruinado por acaso em um sábado à noite foi uma bênção. Agora ela tinha alguém para odiar.

O homem já não era simplesmente um monstro abstrato ao qual ela tinha dificuldade de atribuir um rosto. Até então ele não tinha sido uma pessoa, apenas uma dimensão, um fenômeno. Algo que tinha varrido sua vida e feito com que ficasse desolada como um furacão na costa oeste ou um tumor cancerígeno, algo de que não tinha como se proteger, que aparecia na vida das pessoas só de vez em quando, lamentável, mas completamente inevitável e impossível de se controlar.

Não era mais assim. Ele era um homem. Uma pessoa que decidiu vir. Que escolheu a vida dela. Ele poderia tê-la deixado em paz, poderia não ter feito aquilo, poderia ter escolhido outra pessoa. Mas foi dela que ele se apoderou; com os olhos abertos, deliberadamente, de propósito.

O telefone estava no mesmo lugar, como de costume, em um criado-mudo de pinho, ao lado de um despertador e um romance policial. Em uma prateleira acima do chão, havia uma lista telefônica. Ela encontrou o número rapidamente e digitou os oito algarismos. Quando estava finalmente conectada com o lugar que havia procurado, Kristine falou com uma mulher atenciosa.

– Olá, meu nome é... sou Sunniva Kristoffersen – ela começou. – Eu estava na Estação Leste, não, Estação Central, quero dizer, hoje. Surgiu um problema e eu fui prontamente auxiliada por um dos seus funcionários. Eram 10h30. Ele era alto, tinha boa aparência, ombros bem largos, cabelos loiros, um pouco fino. Eu realmente gostaria de agradecer a ele, mas me esqueci de perguntar o nome. Tem alguma ideia de quem possa ser?

A mulher o identificou de forma espontânea. Ela forneceu um nome a Kristine e perguntou se ela gostaria de deixar uma mensagem.

– Não, obrigada – Kristine Håverstad respondeu rapidamente. – Eu pensei em mandar flores.

Há alguns anos, Finn Håverstad estivera em uma festa onde conheceu um repórter do *Dagsrevyen*, uma figura célebre, homenageada com o Prêmio Narvesen pela caça a um armador acusado de fraudes com o fundo de garantia do Estado. Era um homem cortês, e o dentista gostou de conversar com ele.

Antes disso, ele tinha a impressão equivocada de que jornalismo investigativo consistia em reuniões secretas com pessoas suspeitas em horários estranhos do dia e da noite. O homenzarrão deu risada quando Håverstad inquiriu se era assim que funcionava.

– O telefone! 90% do meu trabalho baseiam-se em telefonemas!

Agora ele começava a compreender. Era impressionante quanto se podia descobrir com o auxílio da invenção genial de Bell. No bloco de notas à sua frente, ele tinha os nomes de seis proprietários dos carros estacionados na ruazinha em Homansbyen, na madrugada entre os dias 29 e 30 de maio.

Quatro deles eram mulheres. O que não significava nada. Um marido, um filho ou um ladrão de carros poderia estar usando o veículo para cometer outros crimes. Mas, por enquanto, ele deixaria isso de lado. Só faltava um carro. Ele ligou para a delegacia de polícia de Romerike e se apresentou.

– O que você acha? Eu fui vítima de uma grande injustiça – redarguiu, indignado com um policial antipático do outro lado da linha. – Eu estacionei meu carro ao lado da estação ferroviária e, quando voltei do trabalho, o carro estava amassado e a pintura toda arranhada. Felizmente uma moça tinha anotado o número da placa. O canalha não deixou nenhuma mensagem, é claro. Poderia me ajudar?

Finalmente compreendendo o problema, o policial tomou nota da sequência numérica, dizendo:

– Um momento, por favor!

Dois minutos depois, ele informou a marca do automóvel, bem como o nome e o endereço do proprietário. Finn Håverstad agradeceu efusivamente.

Agora ele tinha os dados de todos eles. Primeiro tentou Brønnøysund, mas foi totalmente impossível obter algo por lá. Aparentemente, o método mais fácil era a história sobre a colisão. Ele havia telefonado para sete delegacias, evitando, assim, qualquer suspeita. Seria extremamente improvável que sete carros diferentes houvessem batido no dele.

O único obstáculo era a cor do veículo, que obviamente não constava no registro da polícia. Além disso, provavelmente seria preciso checar os endereços, já que poderiam ter mudado desde que os carros foram inscritos. Como garantia, ele ligou para o Registro Nacional de População. Aquilo tomou tempo demais.

Mas agora tudo estava resolvido. No Registro Nacional de População, ele obteve, além de tudo, as datas de nascimento, algo em que não tinha pensado.

Então, quatro eram mulheres. Ele as colocou de lado por ora. Um dos homens nascera em 1926. Velho demais. Naturalmente, ele poderia ter um filho na idade certa, mas o descartou também. Restaram dois. Ambos viviam na região de Oslo, um em Bærum e outro em Lambertseter.

Nem por um momento, ele realmente sentiu alegria. Ao contrário. O tormento e a dor terrível atribulavam seu coração; foi assim o tempo todo. Sua pele estava dormente; era como se todas as sensações de seu corpo estivessem reunidas na região do estômago. Ele estava horrivelmente exausto, subsistia com o mínimo de sono. A diferença era que, agora, ele tinha algo a que se dedicar, havia encontrado alguém para odiar.

Finn Håverstad pegou suas anotações, guardou-as no bolso de trás e saiu para dar uma olhada mais de perto naqueles dois homens.

Cecilie tinha aceitado mais uma noite de trabalho para sua parceira sem reclamar, estava de excelente humor. Hanne Wilhelmsen, entretanto, não. Eram quase 19 horas e ela estava sentada na sala de operações com Håkon Sand e o chefe de polícia Kaldbakken. Os demais tinham ido para casa. Embora estivessem trabalhando em um caso mais urgente, não havia necessidade de manter as pessoas ali a noite toda.

Hanne Wilhelmsen, como de costume, tinha feito um esboço do caso inteiro. Um gráfico foi colocado no chão. A investigadora organizou uma linha do tempo, que começava no dia 8 de maio e terminava naquele dia.

Quatro massacres de sábado à noite em cinco semanas. Nenhum no dia 29 de maio.

– É perfeitamente possível, claro, nós simplesmente não o encontramos – Håkon Sand declarou. – Deve ter acontecido a mesma coisa.

Kaldbakken parecia concordar, talvez apenas para poder ir embora. Ele estava cansado e, além do mais, tinha pegado uma gripe de verão, fazendo com que suas vias aéreas não facilitassem a respiração.

– Existe ainda outra possibilidade – acrescentou Hanne, passando as mãos pelo rosto vigorosamente.

Ao se aproximar da janela estreita, ela ficou observando a noite de verão tomar conta da capital. Todos permaneceram calados por algum tempo.

– Agora eu tenho certeza – ela anunciou de repente, virando-se. – Aconteceu uma coisa em 29 de maio. Porém não foi um massacre de sábado à noite.

Enquanto falava, ia se animando, como se estivesse tentando convencer a si mesma, em vez de esclarecer aos outros.

– Kristine Håverstad – ela anunciou. – Kristine Håverstad foi estuprada no dia 29 de maio.

Ninguém tentou contestar o fato, mas também não entenderam o que isso tinha a ver com esse caso.

– Temos que ir – ela falou em voz alta, quase gritando. – Encontre-me no endereço de Kristine!

É óbvio que não podia ser ele, o primeiro da lista, o homem de Lambertseter. O carro não era vermelho. Por outro lado, o senhor idoso do primeiro andar poderia estar equivocado. Apesar de ele ter notado um carro vermelho, os registros de E. deixavam claro que houve vários carros desconhecidos estacionados em vários momentos naquela noite na mesma área.

Não, o aspecto mais decisivo era a aparência do homem. Às 5h45 ele chegou dirigindo. Finn Håverstad avistou o automóvel assim que fez a curva em uma rua estreita sem asfalto, na silenciosa área residencial. O carro tinha sido lavado recentemente, e o número da placa podia ser lido facilmente. Por estar obviamente ocupado, o homem não se importou em guardar o carro na garagem. Quando ele saiu do Volvo, Finn Håverstad pôde vê-lo claramente, estava a 15 metros de distância com uma linha de visão sem restrições para a casa recém-construída.

A altura do homem correspondia a cerca de 1,85 m. Mas era praticamente careca, tendo apenas um pouco de cabelo escuro em torno de uma grande coroa calva, mostrando que provavelmente não tinha sido loiro desde a infância. Além disso, estava acima do peso.

Um a menos. O homem de Bærum. Finn Håverstad temia que fosse demorar e, na pior das hipóteses, ele não seria capaz de dar uma olhada no homem naquele dia. Já passava das 19 horas e a probabilidade era a de que o homem já tivesse saído do trabalho e voltado para casa havia muito tempo. Håverstad tinha estacionado seu carro alinhado com os outros que estavam parados ao longo da rua relativamente movimentada. O endereço era o de uma casa geminada, com uma entrada para automóveis individual para cada casa do percurso. Quando chegou, não conseguiu decidir onde deveria se posicionar. Se ficasse em pé, era quase certo que chamaria muita atenção depois de um tempo, já que a área era negligenciada e a maioria das pessoas obviamente apenas passava por ali. Não havia nenhum local na redondeza em que ficar só para passar o tempo parecesse natural, nenhum banco onde ele pudesse se sentar com o jornal, um playground onde ele pudesse parar, casualmente, a fim de observar as crianças. Não que tal passatempo fosse uma boa ideia hoje em dia, ele pensou.

O problema se resolveu sozinho quando um rapaz apareceu e sentou atrás do volante de um Golf estacionado onde se tinha uma excelente vista para a garagem em que Finn Håverstad estava interessado. Assim que o Golf partiu, ele dirigiu o carro até o espaço vazio e, ligando o rádio em um volume baixo, ficou à espera.

Já tinha começado a elaborar um plano alternativo: poderia tocar a campainha e perguntar alguma coisa ou oferecer um produto para vender. Então, olhou para suas roupas e percebeu que de modo algum se pareceria com um vendedor. Além disso, não tinha nada para vender.

Às 19h40, o carro apareceu, um Astra vermelho brilhante. Os vidros eram escuros, por isso Håverstad não conseguia ver o motorista. O portão da garagem devia ser automático, pois, assim que o automóvel chegou à entrada da garagem, o portão começou a subir lentamente. Era vagaroso demais para o motorista, que, impaciente, acelerava o motor na expectativa de a abertura ser suficiente para ele entrar.

Logo após o carro estar estacionado na garagem, o homem emergiu, seguindo imediatamente para a entrada. Håverstad viu que ele segurava um pequeno aparelho, provavelmente o controle remoto. O portão da garagem abaixou e o homem andou apressadamente por um pequeno caminho pavimentado que levava até a porta da casa.

Era ele. Era o estuprador. Não havia sombra de dúvida. Primeiro, ele combinava com a descrição de Kristine até nos mínimos detalhes. Segundo, e mais importante, Finn Håverstad podia sentir isso em seu íntimo. Ele soube no momento em que o homem deixou a garagem e se virou. Ele viu o rosto do homem rapidamente, mas foi o suficiente.

O pai de Kristine Håverstad, brutalmente estuprada onde residia em 29 de maio, sabia quem era o agressor de sua filha. Ele sabia o nome, endereço e data de nascimento. Ele sabia que tipo de carro o criminoso dirigia e que tipo de cortinas ele tinha. Håverstad sabia, inclusive, que ele tinha aparado a grama recentemente.

— Você não foi? — ele perguntou incrédulo quando ela chegou em casa assim que o sol estava se pondo. — Você não foi para a casa de verão?

Quando ela se virou para responder, ele estava sofrendo mais do que nunca. Ela parecia um passarinho, apesar de sua altura. Os ombros estavam caídos e os olhos tinham desaparecido em algum lugar dentro do crânio. Na boca, uma expressão que lembrava cada vez mais sua falecida esposa.

Era insuportável.

— Sente-se um pouco, então — ele sugeriu sem esperar que ela explicasse a mudança de plano. — Sente-se aqui.

Ele deu um tapinha ao seu lado no sofá, mas ela escolheu a cadeira diretamente oposta. Ele tentou desesperadamente olhá-la nos olhos, mas era impossível.

— Onde você estava? — perguntou à toa e foi buscar algo para ela beber. Surpreendentemente, ela recusou a taça de vinho tinto que o pai oferecia.

— Nós temos cerveja?

Nós temos cerveja. Ela se referiu a eles como se fossem um. Isso já era alguma coisa. Um segundo depois, ele voltou, depois de terem trocado a taça por uma caneca espumante. A filha bebeu metade do conteúdo em um gole.

Ela havia caminhado pelas ruas durante horas, mas não contou nada sobre isso. Estivera em seu apartamento, mas também não disse nada a esse respeito. Além disso, tinha descoberto quem havia feito aquilo. Porém ela não iria mencionar o fato.

— Fora — ela disse tranquilamente. — Eu estive fora.

Abrindo os braços de forma expressiva, ela ficou de pé com eles estendidos permanecendo estática, em uma posição desesperada.

— O que vou fazer, pai? Que diabos eu vou fazer?

De repente, ela sentiu uma vontade enorme de contar a ele o que tinha acontecido no início do dia. Ela queria despejar tudo em cima dele, deixar seu pai assumir o controle, a responsabilidade, colocar sua vida nas mãos dele. Ela se preparava para falar quando percebeu que ele se curvou subitamente para a frente, com a cabeça entre os joelhos.

Kristine Håverstad vira o pai chorar duas vezes na vida. A primeira era uma lembrança remota, turva, no funeral de sua mãe. A outra fora há três anos, quando seu avô morreu de forma inesperada, repentinamente, com apenas 70 anos de idade, depois de uma simples operação de próstata.

Quando se deu conta de que ele estava chorando, entendeu que não podia dizer nada a ele. Em vez disso, sentou-se de frente para ele e colocou a grande cabeça em seu colo.

Não durou muito tempo. Ele se sentou abruptamente, enxugou suas lágrimas e pôs as mãos cuidadosamente em volta do rosto estreito dela.

– Eu vou matá-lo – ele garantiu calmamente.

Ele ameaçou matá-la muitas vezes e fazer o mesmo com outras pessoas também, quando ficava realmente irritado. Ocorreu a ela como era inútil falar coisas quando não se quer realmente dizer aquilo. Por um obscuro e breve momento, ela viu tudo claramente. Dessa vez ele estava falando sério. Ela sentiu o terror se instaurar.

Agitada, Hanne Wilhelmsen esperou mais de dez minutos por eles, olhando para o relógio a cada minuto, apoiada em sua moto, que estava estacionada. Quando os demais finalmente chegaram ao prédio cinza recentemente restaurado, o céu estava azul-escuro, um tom quase índigo, indicando que o dia seguinte seria igualmente radiante.

– Olhem para isso – falou Hanne após Kaldbakken e Håkon Sand terem finalmente conseguido colocar o carro de polícia sem identificação em um espaço minúsculo e se aproximarem do local onde ela esperava cheia de aflição, ao lado da entrada.

– Observem esse nome.

Ela apontou para a campainha cuja identificação estava presa de forma relapsa, apenas um pedaço de papel colado no vidro.

– Requerente de asilo. Completamente solitária.

Ela tocou a campainha, mas não houve resposta. Tocou novamente. Ninguém respondeu de novo. Kaldbakken pigarreou, estava impaciente, não entendia por que fora obrigado a ir até lá tão tarde da noite. Se Hanne Wilhelmsen tinha algo importante a comunicar sobre o caso, poderia tê-lo feito na delegacia.

Eles ouviram o eco da campainha mais uma vez sem qualquer movimento do lado de dentro. Hanne Wilhelmsen pisou no pequeno trecho de grama que separava a parede do edifício da calçada, ficou na ponta dos pés, esticando-se até a janela mais afastada. Nada se movia. Ela desistiu e fez um sinal para os outros dois retornarem ao carro. Já sentado, Kaldbakken acendeu um cigarro enquanto aguardava impacientemente uma explicação. Acomodando-se no banco traseiro, Hanne Wilhelmsen se inclinou para a frente, na direção de seus dois colegas, apoiando os cotovelos sobre os bancos dianteiros e a cabeça sobre as mãos cruzadas.

– O que está acontecendo, Wilhelmsen? – Kaldbakken perguntou com uma voz indescritivelmente cansada.

De repente, ocorreu-lhe que ela precisava de mais tempo.

– Eu vou explicar tudo mais tarde – declarou ela. – Amanhã, talvez. Sim, definitivamente. Amanhã.

❧

Ele sabia quem seria a vítima do próximo sábado. Tinha decidido naquele momento. Ela alegou ser do Afeganistão, mas ele tinha certeza de que estava mentindo. Paquistanesa, ele sabia, só que mais bonita do que elas costumam ser.

Ele estava na cama, não em um dos lados da enorme cama de casal, mas bem no meio, para que pudesse sentir o toque do colchão duro contra sua coluna vertebral. As cobertas estavam no chão, e ele estava nu. Nas mãos, segurava pesos, lenta e regularmente esticava os braços o máximo que podia e, em seguida, juntava os pesos acima de sua caixa torácica suada.

– Noventa e um, puf. Noventa e dois, puf.

Estava feliz como há muito tempo não se sentia. À vontade, livre, cheio de força. Sabia exatamente em quem colocaria as mãos e sabia exatamente onde o faria. Também sabia exatamente o que iria fazer.

Chegando a cem, ele se sentou. O grande espelho na parede oposta mostrou o que ele queria ver. Então, foi para o chuveiro.

Por alguma razão, a ideia de ir para casa não era agradável. Hanne Wilhelmsen se sentou em um banco do lado externo da delegacia de polícia, na Grønlandsleiret 44, e refletiu sobre a vida. Estava exausta, mas não sonolenta. Anteriormente, ficara tão claro para ela que havia algum tipo de conexão entre os massacres sábado à noite e o estupro da jovem e doce estudante de medicina. Contudo, nada mais era óbvio.

Ela se sentia incapaz de progredir. A função deles de planejar e direcionar, enviar tropas aqui e ali, em muitos aspectos, era efetiva. No entanto, tinha dado pouco resultado. A investigação era bastante técnica. Eles procuravam fios de cabelo, fibras e outras pistas específicas. Até a última gota de saliva fora examinada, mas os resultados que receberam dos especialistas eram inconclusivos no que dizia respeito a estruturas de DNA e tipo sanguíneo. Tudo aquilo era necessário, mas estava longe de ser suficiente. O homem que agia aos sábados não era normal. De certa forma, havia astúcia por trás de suas ações, uma espécie de lógica absurda. Ele mantinha um determinado dia da semana. Se a hipótese de que havia outras três estrangeiras enterradas em algum lugar fosse verdadeira, então ele também era muito inteligente. Ao mesmo tempo, ele tinha decidido colocá-los em seu rastro ao indiretamente revelar quem ele havia mutilado.

Hanne Wilhelmsen tinha, ao contrário da maioria de seus colegas, algum respeito por psicólogos. Ela também achava que eles falavam um monte de besteiras, mas alguns pontos faziam sentido. Era, obviamente, um ramo da ciência, talvez até, em certa dose, das exatas. Em várias ocasiões, ela passou por cima da oposição a fim de obter perfis psicológicos de criminosos desconhecidos. Ela não precisaria fazer isso dessa vez.

Ao recostar-se no banco, observando que já estava escurecendo, se deu conta de que a dura realidade da vida na Europa, no mundo, teve um impacto na criminalidade da Noruega. As pessoas simplesmente não queriam enxergar. Era assustador demais. Vinte anos atrás, assassinos em série só existiam nos Estados Unidos. Na última década, lia-se a respeito de casos semelhantes na Inglaterra.

Não havia muitos assassinos em massa na história jurídica norueguesa. Os poucos que existiam tinham um passado insano e triste. Colegas em Halden haviam prendido um deles recentemente. Assassinatos fortuitos supostamente cometidos pelo mesmo homem durante um longo período de tempo, sem qualquer motivo aparente, apenas dinheiro. Havia alguns anos, um jovem tinha assassinado três pessoas com quem vivia em uma comuna em Slemdal por elas terem cobrado cerca de 30 mil coroas do aluguel que ele devia. O psiquiatra forense concluiu que ele definitivamente não era louco.

Qual era a razão do homem dos sábados? Ela só podia fazer suposições. De acordo com a literatura, ela sabia que os criminosos poderiam possuir um desejo mais ou menos subconsciente de serem pegos. Hanne Wilhelmsen sabia que aquele não era o caso.

– Ele está apreciando o fato de zombar de nós – ela sussurrou.

– Você deu para ficar aqui sentada falando sozinha agora?

Ela deu um pulo de susto.

Billy T. ficou na frente dela.

Ela olhou para ele momentaneamente assustada e depois riu alto.

– Eu devo estar ficando velha.

– Eu vou deixar você envelhecer em paz – Billy T. respondeu subindo na sua moto, uma enorme Honda Goldwing.

– Eu não entendo como você pode gostar de pilotar esse seu ônibus enorme.

Ela sorriu, antes de ele colocar o capacete.

– Você vai para casa? – ela perguntou sem pensar em outra coisa.

– Sim, não há muito que fazer a esta hora da noite – ele respondeu, olhando para o relógio.

– Vamos dar um passeio?

– A sua Harley suportaria ser vista na companhia de uma japonesa?

Eles pilotaram as motos na noite de verão por mais de uma hora. Hanne na frente, fazendo um barulho ensurdecedor, e Billy T. a seguindo com um som estrondoso, mas suave como seda, entre as pernas. Eles percorreram a velha Mossevei até Tyrigrava e depois voltaram. Ao cruzar as ruas da cidade, levantaram as mãos em um aceno obrigatório para todos os cowboys em máquinas com assento de couro ao lado da livraria Tanum na entrada da Karl Johansgate, onde as motos ficam estacionadas lado a lado, como cavalos amarrados do lado externo de um antigo salão.

Eles terminaram o passeio ao lado do Tryvann Lake em um estacionamento enorme, mas completamente vazio, desligando as motos ali.

– Você pode dizer muitas coisas estranhas sobre o clima da nossa primavera– Billy T. falou –, mas não pode dizer que não está bom para um passeio de moto!

Oslo estava bem diante deles. Suja e empoeirada, com uma camada de poluição claramente visível mesmo ao cair da noite. O céu não estava completamente escuro e tudo indicava que seria assim até o final de agosto. Aqui e ali uma estrela fraca brilhava. As demais tinham caído por terra. A cidade toda era um tapete com pequenas luzes surgindo, desde Gjelleråsen, a leste, até Bærum, a oeste. O mar estava escuro como breu no horizonte.

No limite do estacionamento, havia uma mureta de proteção vermelha e branca, do outro lado do aparato havia uma descida com um emaranhado de árvores. Billy T. atravessou o muro, apoiando-se sobre as pernas flexionadas e chamou Hanne Wilhelmsen.

– Venha aqui – ele chamou, puxando-a em sua direção.

Ela ficou de pé entre as pernas do colega e de costas para ele.

Relutante, ela deixou que ele a abraçasse. Era tão alto que suas cabeças ficaram na mesma altura, embora ele estivesse praticamente sentado e ela quase em pé. Ele a abraçou com seus braços gigantes e encostou sua cabeça na dela. Um tanto surpresa, ela relaxou.

– Às vezes você fica cansada de ser uma policial, Hanne? – ele perguntou com tranquilidade.

Ela concordou.

– Vez ou outra, todos se cansam disso. Cada vez com mais frequência, para dizer a verdade.

– Observe a cidade – ele continuou. – Quantos crimes você acha que estão acontecendo agora? Precisamente neste instante?

Nenhum dos dois proferiu uma palavra.

– E aqui estamos nós, incapazes de agir – ele acrescentou após uma longa pausa.

– É impressionante que as pessoas não protestem – falou Hanne.

– Mas elas fazem isso – Billy T. respondeu. – Elas protestam todas as vezes. Nós somos cobrados todos os dias, nos jornais, nos intervalos para almoço de todos os lugares, nas festas. Não somos bem vistos, posso assegurar. Eu as conheço bem. É assustador quando não se contentam apenas com reclamações.

Foi realmente muito agradável ficar ali daquela maneira. Ele tinha cheiro de masculinidade misturado com couro, e sua barba fazia cócegas na bochecha dela. Segurando os braços dele, ela os envolveu de forma ainda mais apertada por seu corpo.

– Por que você mantém esse espetáculo escondido, Hanne? – ele perguntou suavemente, quase sussurrando.

Ao perceber que ela congelou instantaneamente e que iria se soltar, ele a abraçou firmemente.

– Não faça um estardalhaço, escute-me agora. Todos sabem que você é uma policial fantástica. Droga, é difícil para um policial ter a sua reputação. Além do mais, as pessoas adoram você. Elas dizem coisas boas a seu respeito em todos os lugares.

Ela continuou se debatendo para se soltar. Então, percebeu que daquele jeito, pelo menos não precisaria olhar para ele. Por isso, decidiu se acalmar, embora não estivesse mais tão confortável.

– Sempre me perguntei se você estaria por dentro dos rumores que circulam por aí. Porque eles existem, sabe? Talvez não tanto quanto antes, mas as pessoas especulam, entende? Uma mulher adorável como você nunca ter sido vista com um homem.

Ela sabia que ele estava sorrindo, embora seu olhar estivesse fixado em um ponto longe dos declives de Ekebergåsen.

– Deve haver um empecilho, Hanne. Um empecilho condenável.

A boca dele estava tão perto do seu ouvido que ela podia sentir o movimento dos lábios.

– Tudo o que eu queria dizer é que as pessoas não são tão loucas como você pensa. Elas fazem um pouco de mexerico, mas depois passa. Quando algo é confirmado, deixa de interessar tanto. Você é uma grande garota. Nada mudará isso. Eu acho que você deve colocar um fim em todo esse espetáculo secreto.

Depois disso, ele a soltou, mas ela não se mexeu. Continuou ali, imóvel, completamente apavorada com a possibilidade de ele ver seu rosto. Ela estava quente como chamas e mal respirava.

Já que ela não tentou ir embora, ele a envolveu nos braços novamente e começou a balançá-la de um lado para o outro. Eles ficaram daquele jeito por alguns segundos, que pareceram uma eternidade, enquanto as luzes iam se apagando na cidade.

TERÇA-FEIRA, 8 DE JUNHO

Ninguém mais bebia café; todos tomavam refrigerante de cola. Só pensar na bebida quente escorrendo pela garganta já causava repulsa. Uma barraca de cerveja na varanda seria uma mina de ouro. A pequena geladeira no refeitório emitia sons, como se fossem gemidos e suspiros, por causa de todas as garrafas plásticas armazenadas dentro dela, sem conseguirem gelar antes de serem consumidas.

Naquela manhã, Hanne Wilhelmsen apresentou o chá gelado para os funcionários da Divisão A 2.11. Às 7 horas, sem ter dormido nada, ela limpou toda a sujeira impregnada nas cafeteiras. Depois, ela preparou 14 litros de chá extremamente forte com muito açúcar e dois frascos inteiros de essência de limão em um enorme recipiente de aço, que ela havia pegado "emprestado" no depósito onde os itens confiscados ficam armazenados. Finalmente, encheu a vasilha de gelo, pelo qual tinha implorado na cantina, até a boca. Foi um sucesso. Pelo resto do dia, todos circulavam com os copos cheios, bebendo chá gelado, surpresos por ninguém ter pensado nisso antes.

– Graças a Deus, eu consegui checar isso tudo.

Erik Henriksen suspirou aliviado ao entregar a Hanne Wilhelmsen, uma pilha de papéis com 12 denúncias relacionadas ao caso Kristine Håverstad.

Era um grupo que abrangia policiais e advogados. Aquele de quem tinham caçoado anteriormente. Aquele que ela agradeceu a Deus por ter pedido a Erik para verificar. Ela levou 45 minutos para ler tudo.

Um dos suspeitos se destacou; aparecia duas vezes:

"O retrato do artista em *Dagbladet*, no dia 1º de junho, tem certa semelhança com Cato Iversen. O rosto dele é um pouco mais fino, mas, por outro lado, ele tem agido de modo estranho. Como eu trabalho ao lado dele, prefiro permanecer anônimo. Nós dois trabalhamos no departamento de imigração, onde convivemos durante o expediente."

– Bem observado – Hanne Wilhelmsen murmurou, pegando a outra folha de papel que Erik ansiosamente entregou a ela.

– É impressionante como o retrato parece com meu vizinho Cato Iversen – relatou o informante. – Ele mora na Ulveveien, 3, Kolsas, e trabalha no departamento de imigração, pelo que sei. Ele sai bastante de casa e é solteiro.

A carta estava assinada, mas havia um pedido declarado para que o nome permanecesse no anonimato.

Trinta segundos depois, Hanne Wilhelmsen estava no escritório de Håkon Sand.

– Eu preciso de um mandado.

– Para qual caso?

– Este caso. Veja só.

Ela entregou os relatórios para ele, mas a reação dele foi diferente da que ela esperava. Calmamente, ele leu os papéis várias vezes antes de devolvê-los.

– Agora você tem que ouvir minha teoria – ela começou, um pouco confusa devido à postura frustrante do advogado. – Você já ouviu falar sobre assinaturas de crimes?

Claro que sim, ele lia os livros técnicos também.

– O assassino deixa uma espécie de marca registrada, não é? E a marca se torna conhecida por meio de jornais ou como assunto de fofocas. Então, surge alguém que quer se livrar de uma pessoa e, portanto, disfarça "seu"...

Ela fez aspas com os dedos.

– ... "seu" assassinato como sendo um dos originais.

– Mas isso nunca acaba bem – Håkon Sand balbuciou.

– Não exatamente. Como regra, dá errado, porque a polícia não libera todos os detalhes da investigação. Mas neste caso, Håkon, a situação é exatamente o oposto.

– A situação é o oposto; Oh, sim. Como é então?

– O assassinato é que está encoberto, disfarçado, como se fosse um serial.

Håkon Sand tossiu discretamente, cobrindo a boca com seu punho, esperando uma explicação adicional sem necessidade de exigi-la.

– Temos aqui um assassino deixando sua assinatura, mas cometendo um deslize! Ele vai cometer outro assassinato em série, mas, então, algo dá errado. Não, deixe-me ser bem específica.

Ao aproximar a cadeira da mesa dele, ela pegou uma folha de papel em branco e uma caneta, rapidamente esboçou uma cópia em miniatura da linha do tempo que havia feito no quadro da sala de operações.

– No dia 29 de maio, ele sai para violentar e matar uma requerente de asilo. Esta requerente de asilo.

Ela bateu na pasta com o relatório do caso, que estava sobre a mesa. Håkon não tocou nela, mas inclinou a cabeça para ver o nome na capa. Era a mulher do andar de baixo. A que eles tinham tentado contatar na noite anterior.

– Olhe aqui – Hanne falou bastante ansiosa, folheando os documentos. – Ela é perfeita. Veio para a Noruega por conta própria, para encontrar o pai, era o que ela imaginava, mas ele morreu poucos dias antes de sua chegada. Então, ela herdou o apartamento e o dinheiro e vive em silêncio na esperança de ter sua situação resolvida pelo departamento de imigração. A vítima perfeita. Nem mesmo mora em um centro de recepção.

– Mas por que ele não a atacou, então, se ela era tão perfeita?

– Isso nós não sabemos, é claro. Mas a minha hipótese é a de que ela tinha saído. Saído, viajado, o que for. Ela me disse que estava dormindo e não ouviu nada, mas parecia atemorizada com a polícia, do modo como essas pessoas ficam, por isso ela pode muito bem ter mentido.

E Hanne continuou:

– Acontece que ele está ali, de pé, até que Kristine Håverstad aparece. Uma menina estilosa. Muito atraente. Ele simplesmente resolve trocar.

Håkon Sand precisava admitir que a teoria fazia sentido.

– Mas por que ele não a matou, então?

– Isso é óbvio – Hanne Wilhelmsen respondeu, levantando-se.

Ela parecia tensa e cansada, apesar de seu entusiasmo. Com as mãos na cintura, balançou o tronco várias vezes de um lado para o outro.

– Quantos casos de estupro arquivamos, Håkon?

Ele abriu os braços.

– Não faço ideia. Mas sei que são vários. Muitos.

Retornando à cadeira, ela se inclinou em direção a ele. A cicatriz acima dos olhos parecia mais proeminente naquele momento, ele notou. Será que ela tinha emagrecido?

– Nós arquivamos mais de cem casos de estupro todos os anos, Håkon. Mais de cem! Quantos deles você acha que nós investigamos a fundo?

– Não muitos – ele murmurou, com a consciência um tanto pesada, e instintivamente olhou para uma pilha com três casos aguardando o carimbo "arquivado." Estupros. Todas as pastas eram finas. Visivelmente nenhuma investigação.

– Quantos casos de assassinato arquivamos por ano? – ela perguntou retoricamente.

– Raramente arquivamos casos de assassinato!

– Exatamente! Ele *não podia* matar Kristine Håverstad. Seria descoberto algumas horas depois e seríamos como vespas zunindo pela cidade. O cara é esperto.

Ela deu um soco na mesa.

– Esperto demais!

– Mas ele não foi tão inteligente assim, sabe? Ele deixou Kristine ver o rosto dele, não é mesmo?

– Um pouco, sim. E veja que tipo de desenho obtivemos. Um não muito específico.

Eles foram interrompidos por uma assistente jurídica, que tinha ido entregar a ele um caso de prisão preventiva.

– Há mais cinco desses vindos de Larceny – ela informou antes de sair.

– Mesmo assim, há uma coisa que não se encaixa – Håkon falou de modo reflexivo. – Se ele realmente tem esse plano perfeito, por que não o cumpre? Ele não poderia simplesmente estar tão excitado que *precisava* ter alguém?

É claro que sim. Hanne Wilhelmsen e Håkon Sand pensaram nisso ao mesmo tempo. Na primavera anterior, uma série de estupros tinha sido registrada em Oslo, na verdade acontecidos principalmente na área de Homansbyen. O estuprador tinha sido capturado por acaso. A razão pela qual ele tinha cometido o crime ocorreu aos dois ao mesmo tempo.

– Esteroides – Håkon Sand exclamou, olhando para sua colega com um leve temor. – Os anabolizantes!

– Estamos à procura de um homem musculoso – Hanne Wilhelmsen concluiu friamente. – Ainda mais pistas. E agora, como eu disse, eu gostaria de um mandado para este cara aqui. Parece perfeito.

Ela apontou para os dois relatórios que havia levado e colocou uma folha de papel diante dele. Ele não se mexeu.

– Você está exausta – ele declarou.

– Exausta? Sim, claro que eu estou exausta.

– Você está tão exausta que não está conseguindo pensar claramente.

– Pensar claramente? Que diabos você quer dizer com isso?

Era óbvio que ela estava cansada. Todos estavam. Mas a atitude de Håkon Sand em atrasar uma prisão extremamente gratificante não ajudava em nada.

– Não temos o suficiente para efetuar uma prisão – ele constatou, cruzando os braços. – Você sabe muito bem disso.

Hanne Wilhelmsen não podia acreditar. Fazia muitos anos que um promotor de justiça da polícia não negava um pedido de prisão a ela. Håkon Sand nunca, nem uma vez sequer, nos quatro anos em que trabalhavam juntos, havia recusado um pedido de prisão. A surpresa foi tão grande que quase se transformou em uma ira temporária.

– Você realmente quer dizer...

Ela se levantou e se apoiou na mesa numa atitude quase ameaçadora.

– Você está me dizendo que vai se recusar a preencher um mandado?

Ele simplesmente concordou.

– Mas que diab...

Ela olhou para cima como se clamasse por uma ajuda do céu.

– Que diabos isso significa?

– Significa que a informação que você tem aí nem de longe é o bastante para justificar uma prisão. Traga o cara como costumamos fazer. Veja se você pode tirar alguma coisa dele. Então, poderemos discutir o assunto. Uma prisão preventiva, possivelmente.

– Prisão preventiva? Eu não quero uma prisão preventiva! Eu quero um simples mandado de prisão para um caso insano que pode ter custado a vida de quatro garotas!

Håkon Sand nunca tinha visto Hanne Wilhelmsen tão furiosa. No entanto, manteve sua posição. Ele sabia que estava certo. Duas denúncias sobre um possível assassino não era motivo suficiente para incriminar um suspeito. Mesmo que ele trabalhasse no departamento de imigração e assim tivesse acesso irrestrito a todo tipo de informação que desejasse a respeito de requerentes de asilo. Ele ficou chocado com tal pensamento.

Não era o bastante. Ele sabia disso. E ele sabia que Hanne Wilhelmsen também tinha ciência disso. Talvez fosse esse o motivo de ele não ter dito mais nada. Pegando tanto o mandado quanto os dois relatórios, ela bateu a porta com força ao sair da sala.

– Idiota! – ela murmurou enquanto caminhava pelo corredor.

Um homem sentado em uma cadeira desconfortável, cansado de esperar sua vez de ser interrogado ou coisa parecida, ficou visivelmente ofendido e olhou para o chão irritado.

– Não é com você – ela acrescentou, marchando.

Erik Henriksen estava sentado no escritório, esperando ansiosamente. Ele não recebeu nenhuma explicação, apenas uma exigência de que encontrasse Kristine Håverstad, pelo amor de Deus. Eles precisavam dela. Agora. Imediatamente. Uma hora no máximo. Ele correu.

Ela procurou o número do departamento de imigração no catálogo telefônico. Depois de respirar fundo cinco vezes para se acalmar, ela fez a ligação.

– Cato Iversen, por favor – solicitou.

– Ele está no plantão telefônico das 10 até as 14 horas. Portanto, você terá que ligar mais tarde – uma voz fria e ríspida respondeu.

– Aqui é da polícia. Eu preciso falar com Iversen. Agora.

– Qual o seu nome?

A senhora não desistia facilmente.

– Hanne Wilhelmsen. Delegacia de polícia de Oslo.

– Um momento, por favor.

Foi uma maneira de resolver a situação. Depois de quatro minutos de silêncio total, ouviu-se:

– Você ainda está na linha, aguarde, por favor.

Furiosa, ela apertou o botão para encerrar a chamada e rediscou o telefone.

– Departamento de imigração, o que deseja?

Era a mesma mulher.

– Aqui é Hanne Wilhelmsen, divisão de homicídio, massacre e estupro, polícia de Oslo. Eu quero falar com Cato Iversen imediatamente.

Era evidente que a mulher ficou totalmente alarmada com o novo nome dado à seção de homicídios. Dez segundos depois, Cato Iversen estava na linha. Ele se apresentou pelo sobrenome.

– Bom dia – Hanne cumprimentou com um tom evasivo devido às circunstâncias. – Aqui é Hanne Wilhelmsen da divisão de homicídios, polícia de Oslo.

— Sim — respondeu o homem sem um resquício de ansiedade, pelo que Hanne foi capaz de discernir.

Ela rapidamente concluiu que ele estava acostumado a lidar com a polícia.

— Eu gostaria de lhe fazer algumas perguntas com relação a um caso que estamos investigando. É bastante urgente. Você poderia comparecer à delegacia?

— Agora? Já?

— Sim, quanto antes.

O homem pensou um pouco. Houve uma pausa.

— Não é possível no momento. Sinto muito. No entanto, eu...

Ela podia ouvi-lo folhear papéis. Ele parecia checar sua agenda.

— Eu posso na próxima segunda-feira.

— Infelizmente, não posso esperar. Preciso conversar com você agora. Provavelmente não vai tomar muito do seu tempo.

O que era mentira.

— Sobre o que é?

— Falaremos a esse respeito quando chegar aqui. Espero você daqui uma hora.

— Não, sinceramente. Não será possível. Estou dando uma palestra para uma sessão de treinamento interno que estamos realizando no momento.

— Eu sugiro que você compareça aqui imediatamente — Hanne disse calmamente. — Diga que você está doente, invente qualquer coisa. Eu posso apanhá-lo se for preciso. Entretanto, acredito que prefira vir até aqui por conta própria.

O homem estava claramente nervoso. Mas quem não ficaria diante de tal mudança? Hanne ponderou e decidiu não enfatizar a alteração na conduta do homem.

— Eu chego aí em meia hora — ele concordou finalmente. — Talvez um pouco mais, todavia estou a caminho.

Kristine Håverstad não sabia o que fazer. Seu pai tinha saído para trabalhar às 8 horas, como de costume. Contudo, ela não tinha mais certeza de que era realmente ao trabalho que ele estava se dedicando. A fim de confirmar sua suspeita, ela telefonou para a clínica odontológica e pediu para falar com o pai.

– Mas, Kristine, querida – a recepcionista velha e rechonchuda respondeu –, seu pai está de férias. Você não sabia?

Kristine fez de tudo para convencer a senhora de que aquilo não passava de uma engano e colocou o telefone de volta no gancho. Não teve dúvidas de que seu pai tinha intenção de seguir com seu plano. Eles haviam conversado por mais de uma hora na noite anterior, muito mais do que tinham feito nos últimos dez dias.

A pior parte foi a que pareceu mais libertadora. Foi grotesca, pavorosa, insana. As pessoas não faziam esse tipo de coisa. Não neste país, pelo menos. Mas a ideia de que aquele homem iria morrer, todavia, trouxe alívio para ela. Kristine sentiu uma espécie de alegria diante da possibilidade de uma reparação. Ele tinha destruído duas vidas. Merecia aquilo. Principalmente porque a polícia não estava fazendo nada para capturá-lo. E, mesmo que tivesse a intenção de fazê-lo, o criminoso ficaria um ano em uma cela confortável com TV e atividades recreativas. Ele não valia isso.

Ele merecia morrer. Ela não merecia o que ele tinha feito com ela. Ele era um ladrão e um assassino. O pai dela não merecia sofrer daquela maneira. Quando finalmente se acalmou, passou a saborear uma espécie de satisfação apaziguadora, pois uma atitude seria tomada; ela ficou atônita. Isso era loucura, pura e simples. Você não pode simplesmente matar pessoas. Mas, se alguém tinha que fazer isso, seria ela.

Billy T. era investigador havia vários anos. Fazia parte do pelotão que lida com narcóticos havia mais de cinco anos, tanto tempo que ele provavelmente continuaria a ser um policial de calça jeans até ficar velho demais para isso. No entanto, suas habilidades como interrogador ainda eram lendárias. Ele nem sempre seguia as regras, mas conseguia uma quantidade de confissões que impressionava até o melhor deles. Hanne Wilhelmsen insistiu, e ele se deixou persuadir. Ocorreu a ela que poderia ser uma estratégia para encontrá-lo novamente. A noite anterior tinha sido totalmente surreal, mas agora ela estava em um ambiente seguro com todas as suas habituais defesas no lugar. Entretanto, ela sentia um forte desejo de vê-lo, de falar com ele sobre as coisas do cotidiano, assunto de polícia. Ela simplesmente queria ter certeza de que ele ainda era o mesmo velho amigo de sempre.

Era ele. Billy T. fez muito barulho e contou piadas durante todo o caminho até a sala de Hanne, ela pôde ouvi-lo antes mesmo de ele chegar. Quando ele a viu, pois ela colocou a cabeça para fora da porta a fim de cumprimentá-lo, não tocou no assunto do que tinha ocorrido havia apenas algumas horas. Ele não parecia muito cansado também. Tudo estava como sempre foi. Ou quase.

Quando Hanne Wilhelmsen pôs os olhos em Cato Iversen, ficou surpresa. Talvez ele não se parecesse tanto com o desenho do retratista, mas correspondia perfeitamente à descrição que Kristine Håverstad fizera. Ombros largos, cabelo loiro penteado para trás nas laterais. Não era muito alto, mas seu corpo musculoso dava essa impressão. Ele estava bronzeado, mas, por outro lado, a maioria das pessoas também estava, exceto os policiais da delegacia de polícia de Oslo.

Billy T. sozinho praticamente preenchia a sala. Somado à presença de Cato Iversen e Hanne Wilhelmsen, o recinto ficou apertado. Billy T. posicionou-se de costas para a janela, apoiando-se no peitoril. Contra a forte luz do dia, ele se transformou em uma enorme figura negra com contornos bem delineados, mas sem rosto. Hanne Wilhelmsen sentou-se em seu lugar costumeiro.

Cato Iversen estava visivelmente nervoso. Ainda assim, tal reação não era incomum e não indicava qualquer coisa de anormal. Engasgava sem parar, ele estava inquieto na cadeira, exibia um cacoete peculiar de coçar constantemente o dorso da mão esquerda.

– Como você deve saber – ela começou –, não costumamos usar um gravador durante os esclarecimentos de testemunhas.

Ele não sabia disso.

– Mas, neste caso, nós o faremos – ela continuou, sorrindo com facilidade e pressionando simultaneamente dois botões de um pequeno gravador sobre a mesa.

Ela ajustou o microfone de forma que ele não apontasse para uma direção específica na sala.

– Vamos começar com seus dados pessoais – declarou ela.

Ele aceitou colaborar, e ela informou que ele não era obrigado a dar uma declaração, porém deveria dizer a verdade caso decidisse falar.

– Tenho direito a um advogado?

Ele se arrependeu logo após ter perguntado e tentou disfarçar com um sorriso, balançando a cabeça de modo reprovador e limpando a garganta. Com força, ele coçou uma picada de mosquito imaginária em sua mão esquerda.

– Um advogado, Billy T. – falou Hanne, direcionando seu comentário ao monstro no peitoril da janela. – Um advogado? Será que o nosso amigo aqui precisa de um advogado?

Billy T. não disse nada, apenas sorriu. Iversen não podia vê-lo.

De onde estava, Billy T. ainda era apenas um contorno preto contra o céu azul brilhante.

– Não, não, eu não preciso de um advogado. Foi apenas uma pergunta.

– Você é uma testemunha, Iversen – Hanne Wilhelmsen assegurou a ele, tentando tranquilizar o homem. – Você não precisa de um advogado, tudo bem?

– Mas o que é tudo isso?

– Nós vamos chegar lá, nós vamos chegar lá.

Uma sirene soou enquanto uma viatura se dirigia para Åkebergveien velozmente, seguida de perto por outra.

– Muito trabalho com este clima – explicou Hanne. – Onde você trabalha?

– No departamento de imigração.

– O que você faz lá?

– Sou administrador. Apenas um administrador comum.

– Oh, claro, e o que um administrador comum faz?

– Administra casos.

Obviamente, o homem não tinha intenção de parecer impertinente; portanto, após uma breve pausa, ele acrescentou:

– Eu recebo os formulários para permissão de residência depois de a polícia já ter lidado com o caso. Nós somos a autoridade que toma a decisão inicial.

– Casos de asilo?

– Sim, entre outros. Reunir famílias. Intercâmbios estudantis. Eu lido somente com os casos asiáticos.

– Você gosta do seu trabalho?

– Como?

– Você acha seu trabalho agradável?

– Sim e não.

Ele pensou sobre isso.

– É um trabalho como outro qualquer, eu suponho. Eu me tornei advogado ano passado. Você não pode sempre escolher o que fazer. O emprego tem sido bom até aqui.

– Não é triste ter que descartar todas essas pobres almas?

Ele parecia genuinamente surpreso, pois não esperava tal atitude da polícia.

– Não é triste – ele murmurou. – É o Parlamento quem decide. Nós apenas executamos as decisões que eles tomam. Além do mais, nem todos são mandados embora, sabe?

– Mas a maioria é, não é mesmo?

– Bem, sim, talvez a maioria.

– Qual é a sua opinião a respeito dos estrangeiros, então?

Agora, ele obviamente tinha se recuperado um pouco.

– Honestamente – disse ele, mudando de posição na cadeira –, agora eu realmente preciso saber do que estamos tratando aqui.

Os dois policiais trocaram olhares, e Billy T. fez um breve aceno com a cabeça. Iversen podia ver o movimento também.

– Nós estamos lidando com um caso bastante grave no momento – Hanne Wilhelmsen disse a ele. – Os massacres de sábado à noite. Você leu a respeito?

De fato, ele havia lido. Ele balançou a cabeça e começou a se coçar novamente.

– Encontramos um número em cada poça de sangue. Um número de imigração. No domingo, encontramos um corpo, um corpo que parece ser asiático. E sabe de uma coisa?

Com um leve entusiasmo, ela vasculhou a pilha de papel à sua frente até encontrar uma folha.

– Dois desses números de imigração pertencem a casos de que você está cuidando!

O nervosismo do homem tinha aumentado. Agora sim, eles podiam começar a suspeitar de algo.

– Não existem muitos de nós trabalhando em casos de imigrantes vindos da Ásia- ele a interrompeu rapidamente. – Não há nada de estranho.

– Não, eu entendo.

– Quero dizer, você tem que saber quantos casos recebemos ao ano. Centenas a cada ano. Talvez milhares – ele acrescentou brevemente, tentando reforçar seu argumento.

– Talvez você seja capaz de me ajudar, então, já que tem muita experiência. Como você lida com esses casos, de verdade? Digo, do ponto de vista administrativo. É tudo feito por meio de computadores?

– Sim, todos os dados são inseridos nos computadores, está correto. Mas mantemos arquivos também, claro. Com papéis, quero dizer. Relatórios sobre entrevistas, cartas e coisas do gênero.

– E eles têm todos os detalhes de cada indivíduo requerente de asilo?

– Sim. Bem, sim, tudo o que precisamos saber.

– Informações sobre se vieram acompanhados, relações familiares, se têm conhecidos aqui, a razão de eles terem vindo para a Noruega, todos esses tipos de coisa. É o que contêm seus arquivos?

O homem se contorceu na cadeira novamente, parecia estar considerando isso.

– Sim, tudo o que consta nos relatórios da entrevista com a polícia.

Hanne Wilhelmsen sabia disso. Tinha passado uma hora lendo os relatórios das entrevistas policiais sobre as quatro mulheres naquela mesma manhã.

– Muitos chegam desacompanhados?

– Alguns. Outros trazem a família junto. Uma parte já tem família aqui.

– Alguns deles desaparecem, eu ouvi.

– Desaparecem?

– Sim, eles desaparecem do sistema, sem ninguém saber onde estão.

– Oh, sim, esse tipo de desaparecimento... sim, isso acontece de vez em quando.

– O que vocês fazem com eles, então?

– Nada.

Nesse momento, Billy T. moveu sua estrutura colossal do parapeito da janela.

Seu traseiro esfriou depois de ficar sentado no sistema de ventilação deteriorado por 20 minutos. Ele passou por Hanne Wilhelmsen e parou com o braço encostado em uma estante polida, encarando a testemunha.

– Agora eu vou direto ao ponto, Iversen – declarou Billy T.. – Aonde você costuma ir aos fins de semana?

O homem não respondeu. A coceira ficara mais intensa.

– Pare com isso – Hanne Wilhelmsen ordenou irritada.

Embora Cato Iversen estivesse desesperado, quase não demonstrava. Os investigadores o analisaram atentamente; todavia, ainda não tinham detectado nada além de um toque de nervosismo. Iversen não tinha ideia do que iria responder. Portanto, ele falou a verdade.

– Eu dirijo uma picape – sussurrou.

Billy T. e Hanne trocaram olhares, e ambos sorriram.

– Você dirige uma picape – Hanne repetiu lentamente.

– Você dirigiu sua picape no sábado, 29 de maio também? E no domingo, dia 30?

Maldição. Eles sabiam. Todas as outras questões eram apenas fachada. Apesar da censura de Hanne Wilhelmsen um minuto atrás, ele coçava a mão esquerda desesperadamente. Estava doendo, então parou.

– Eu quero falar com um advogado – Iversen exclamou de repente. – Não direi mais nada até falar com um advogado.

– Mas, meu caro Iversen – Billy T. falou manso como um cordeiro, agachando-se na frente dele –, você não está sendo acusado de nada.

– Mas sou suspeito de algo... – Iversen respondeu.

Agora eles podiam ver que ele tinha lágrimas nos olhos.

– ... então eu preciso de um advogado.

Inclinando-se sobre a mesa, Hanne desligou o gravador.

– Iversen, vamos falar tudo às claras. Estamos interrogando você agora como testemunha. Você não está na condição de suspeito nem de acusado. Logo, você não precisa de um advogado. Você tem o direito de sair desta sala e deste edifício na hora em que bem entender. Portanto, se você optar por consultar um advogado e voltar para conversar conosco mais tarde, está livre para fazer isso naturalmente.

Ela pegou o telefone e colocou-o na frente dele. Em seguida, pôs as Páginas Amarelas ao lado do aparelho.

– Vá em frente! – ela o encorajou e verificou rapidamente a pequena sala, certificando-se de que não havia alguma coisa que ele não devesse acessar. Ela pegou os arquivos relacionados ao caso e, levando Billy T. junto com ela, foi até a porta, onde parou.

– Estaremos de volta em dez minutos – disse ela.

Acabou levando um pouco mais do que dez minutos. Eles esperaram na sala de operações, cada um com um copo da bebida matinal de Hanne. O gelo tinha derretido, o açúcar tinha afundado no recipiente já quase vazio e, com o tanino, a bebida não estava tão refrescante como há algumas horas.

– Agora ele vai se entregar sozinho – Billy T. disse. – Nós não precisamos falar muito.

– Sua aparência amedrontadora pode fazer a mais inocente das pessoas confessar qualquer coisa – Hanne sorriu, tomando um gole da bebida. – Além do mais, eu não sei se ele está completamente pronto para abrir a boca.

– Algo está fazendo o homem estremecer, isso é certo – Billy T. ressaltou. – Essa é a minha opinião. Mas eu tenho que ir. Estou cansado. Você também deve estar – acrescentou, tentando fazer contato visual.

Ela não respondeu, apenas levantou a taça vazia em um brinde quando ele deixou o recinto para dar lugar a Erik Henriksen, que acabara de chegar.

– Eu a encontrei – ele arfava. – Ela estava mesmo vindo para cá! Já estava na porta! Por que você precisa dela?

Foi preciso apenas uma hora e meia para organizar um reconhecimento. Parecia existir um número surpreendente de homens com ombros largos, loiros e com os cabelos para trás na polícia. Cinco deles estavam agora de pé, na companhia de Cato Iversen na sala de reconhecimento. Do outro lado do vidro, Kristine Håverstad ficou roendo as unhas.

Não foi para isso que ela tinha vindo, óbvio. Ela quase esbarrou no policial sardento ao entrar na delegacia e ainda teve tempo de recuar, quando ele, sorrindo, confirmou sua identidade e a levou para dentro. Felizmente, ela não precisou dizer nada.

A investigadora Hanne Wilhelmsen parecia muito mais cansada do que uma semana antes. Os olhos pareciam mais pálidos, a boca mais apertada e determinada. Na semana anterior, Kristine Håverstad a tinha achado muito bonita. Naquele momento era uma mulher comum com características marcantes, sem usar maquiagem. Ela não parecia tão entusiasmada também, embora fosse simpática e acolhedora o suficiente.

Os seis homens seguiram enfileirados para a sala, como um bando de gansos bem alimentados. Quando o último entrou no local, todos se viraram de frente para o vidro. Kristine sabia que eles não podiam vê-la.

Ele não estava lá. Todos eram parecidos, mas nenhum deles era o homem que a atacou. Ela sentiu as lágrimas brotarem. Se... se tivesse sido um deles... o estuprador estaria a salvo de seu pai. Ela poderia tentar consertar sua vida novamente. Ela não precisaria avisar à polícia que seu próprio pai estava planejando um assassinato. A vida seria bem diferente se fosse um deles. Mas não era.

– Talvez o número 2 – ela falou.

O que ela estava fazendo? Definitivamente não era o número 2. Contudo, ao forçá-los a manter um deles sob custódia, ela seria capaz de ganhar algum tempo, pelo menos. Tempo para pensar, para dissuadir seu pai. Alguns dias, talvez, mas já era melhor do que nada.

– Ou o número 3?

Ela olhou interrogativamente para Hanne Wilhelmsen, que estava sentada como uma estátua, olhando para frente.

– Sim – ela resolveu. – O número 2 ou 3. Mas eu não estou bem certa...

A investigadora Hanne Wilhelmsen agradeceu a ajuda e conduziu a moça para a saída; estava tão decepcionada que se esqueceu de perguntar a Kristine Håverstad o que a havia levado até a delegacia. Não importava. Apoiando a bolsa sobre o ombro estreito, Kristine Håverstad saiu da delegacia de polícia com a certeza de que não conseguiria relatar as intenções do pai.

O número 2 era o funcionário Fredrik Andersen da seção de intimação.

O número 3 era o sargento da polícia Eirik Langbråtan, um agradável companheiro, operador de rádio. Cato Iversen, que tinha sido o número 6 na fila, recebeu um aperto de mão, um medíocre pedido de desculpas e permissão para sair.

Chegando ao final da Grønlandsleiret e sem poder ser visto pelas pessoas do enorme edifício curvo, Iversen entrou no restaurante Lompa, onde comprou dois litros de cerveja de uma vez. Sentou em uma mesa posicionada do lado de dentro das instalações e acendeu um cigarro com as mãos trêmulas.

Na noite de 29 de maio, ele estava a bordo da balsa dinamarquesa com a picape carregada de bebidas alcoólicas contrabandeadas. Isso nunca, jamais iria acontecer novamente.

Um dia inteiro de trabalho tinha sido desperdiçado. Era muito desanimador. Mas esse não seria o principal acontecimento na A2.11 naquela data.

O chefe de polícia Hans Olav Kaldbakken entrou na sala de Hanne Wilhelmsen para saber o resumo do dia. Ele não parecia nada bem.

Ao sentar-se na cadeira com movimentos rígidos e pensados, ele acendeu um cigarro, o vigésimo naquele dia, embora ainda não fossem 15h30.

– Tivemos algum progresso, Wilhelmsen? – ele perguntou com uma voz rouca. – Conseguimos algo além desse... desse Cato Iversen? Pois não tem como ser ele, não é?

– Não, não tem, é verdade – respondeu Hanne Wilhelmsen, massageando as laterais da cabeça.

A confirmação era um balde de água fria. Era possível que Cato Iversen tivesse um segredo guardado a sete chaves, mas isso teria que esperar mais um dia. A intuição de Hanne dizia que Kristine Håverstad tinha reconhecido seu agressor. O que a deixava intrigada era o porquê de a moça ter identificado duas pessoas que evidentemente não haviam feito nenhum mal a ela. Pode ter sido um profundo desejo do subconsciente de dar a eles alguma coisa. Porém, foi uma experiência interessante. Ela teria que pensar sobre isso outra hora.

– O sábado se aproxima – anunciou Kaldbakken de forma ponderada. – O sábado está próximo demais.

Ele tinha um dialeto peculiar e engolia as palavras antes que elas fossem completamente pronunciadas. Mas Hanne Wilhelmsen trabalhava com o mesmo superior havia muitos anos e sempre entendeu o que ele dizia.

– É, de fato, Kaldbakken. Sábado está chegando.

– Sabe de uma coisa? – perguntou ele, inclinando-se em direção a ela em uma demonstração incomum de intimidade. – Estupros são os piores atos que eu conheço. Não suporto estupros. E faz 30 anos que sou policial.

Ele ficou momentaneamente perdido em seus pensamentos, mas rapidamente se recompôs.

– Trinta e três anos, para ser preciso. Comecei em 1960, o que não me torna um homem velho.

Ele deu um sorriso discreto e tossiu violentamente.

– Década de 60. Aqueles foram os tempos de glória. Era bom ser um policial. Ganhava-se bem. Mais do que os trabalhadores de indústrias. Muito mais. As pessoas nos respeitavam naquela época. Gerhardsen ainda era primeiro-ministro, e o povo olhava na mesma direção.

A fumaça já estava se espalhando pela sala. O homem enrolava os próprios cigarros e cuspia tabaco entre seus lamentos.

– Naquela época, havia cerca de dois ou três estupros por ano. A comoção era terrível. Nós geralmente prendíamos o canalha também. A maioria era de homens por aqui, e estupros eram os piores crimes que conhecíamos. Todos nós. Nós os caçávamos até prendê-los.

Hanne Wilhelmsen nunca tinha visto aquilo. Ela trabalhava com o chefe de polícia havia sete anos e nunca tinha conversado sobre nada mais íntimo do que uma dor de estômago. Por alguma razão, ela interpretou aquilo como um mau sinal.

Kaldbakken suspirou profundamente, e ela pôde ouvir o chiado em seus brônquios muito cansados.

– Mas, no geral, tem sido bom trabalhar na polícia – ele comentou, contemplando o ambiente. Quando você vai para a cama à noite, sabe que é um dos mocinhos.

E ele acrescentou com um sorriso:

– E as mulheres. Elas dão significado à nossa existência. Pelo menos tinham dado até agora. Depois dessa primavera, eu não sei, para dizer a verdade.

Hanne Wilhelmsen entendia muito bem. Tinha sido um ano realmente terrível. Para ela, apesar de tudo, a vida corria tranquilamente. Ela tinha 34 anos de idade, havia acabado de nascer quando Kaldbakken, impecável em seu uniforme novo em folha, patrulhava as longas e calmas ruas de Oslo. Ela estava sobrecarregada. Kaldbakken, não. Ela ficou divagando sobre a idade dele. Ele parecia ter bem mais que 60 anos, mas não deveria ter tudo isso. Tinha que ser mais jovem.

– Eu não tenho muito a oferecer, Hanne – ele balbuciou.

Ela se assustou quando ele a chamou de Hanne. Até aquele momento ele só havia se referido a ela como Wilhelmsen.

– Que absurdo, Kaldbakken – ela se aventurou, mas desistiu quando ele a ignorou.

– Eu sei quando é hora de parar... eu...

Um acesso aterrorizante, violento, de tosse, de repente tomou conta dele. Durou bastante tempo. Finalmente, Hanne Wilhelmsen se levantou hesitante e pôs a mão nas costas dele.

– Posso ajudá-lo? Você quer um copo de água ou algo assim?

Quando ele se inclinou para trás na cadeira, tentando recuperar o fôlego, ela ficou alarmada. O rosto dele tinha escurecido e estava encharcado de suor. Movendo-se para o lado, ele se esforçou para respirar e depois caiu com tudo. Houve um estrondo horrível quando ele desabou no chão.

De pé, com o corpo desacordado entre suas pernas afastadas, Hanne Wilhelmsen o virou e gritou por socorro.

Não obtendo resposta após alguns segundos, ela chutou a porta e gritou novamente.

– Chamem uma ambulância, pelo amor de Deus! Telefonem para um médico!

Ela, então, fez respiração boca-a-boca em seu velho e exaurido chefe. Dois sopros e, na sequência, massagem cardíaca. Dois sopros e, na sequência, massagem cardíaca novamente. Houve um estalo dentro da caixa torácica dele e ela percebeu que algumas costelas haviam quebrado.

Erik Henriksen estava de pé, na porta, perplexo e mais vermelho do que nunca.

– Massagem cardíaca – ela ordenou, concentrando seus esforços na respiração.

O jovem rapaz comprimia e comprimia. Hanne Wilhelmsen soprava e soprava. Mas, quando os paramédicos chegaram à porta, após nove minutos, o chefe de polícia Hans Olav Kaldbakken estava morto, com apenas 56 anos de idade.

Em um quarto monótono e pouco atraente de uma pensão em Lillehammer, região em que Kristine Håverstad morava, a pequena mulher iraniana estava sentada, com o coração partido. Estava sozinha, muito longe de casa, sem ninguém para pedir ajuda. Tinha escolhido Lillehammer totalmente ao acaso. Um pouco afastada, mas não era muito caro ir de trem. Além disso, ela tinha ouvido falar do museu do folclore em Maihaugen.

Ela devia, claro, ter falado com a polícia. Por outro lado, não se pode confiar nela o tempo todo. Tinha aprendido por meio de uma experiência dolorosa. Muito intuitiva, ela sentiu confiança na jovem policial com quem tinha falado brevemente na última segunda-feira. Mas o que sabia ela, uma pequena mulher do Irã, sobre em quem poderia confiar?

Ela pegou o Alcorão e se sentou, folheando as páginas. Lia um pouco aqui e ali, mas não encontrava palavras de conforto ou um bom conselho. Duas horas depois, adormeceu até se dar conta de que não tinha comido quase nada em dois dias inteiros.

Como já era esperado, o chefe dela foi bastante duro. Ela se desculpou, garantindo que apresentaria um atestado médico. Pensou onde poderia conseguir um. Com o médico da emergência, talvez. No centro de apoio à vítima de estupro, as pessoas tinham sido amistosas e corteses com ela quando teve que fazer o exame mais humilhante que se possa imaginar, no último domingo. Ao mesmo tempo, ela estava relutante em ir até lá e pedir. Bem, ela teria que lidar com esse problema mais tarde. Mal-humorado e sem consideração, seu chefe murmurou algo sobre a juventude de hoje. Kristine não merecia ser maltratada. Ela nunca tinha faltado ou ficado doente antes.

— Kristine!

Radiante de felicidade, um deles a abraçou. Era inacreditável que ele tivesse 81 anos de idade. Impressionante, pois tinha passado cinco anos na Marinha durante a guerra e depois se tornado um alcoólatra durante quase 50 anos. Mas ele se mantinha firme, como uma forma de protesto obstinado contra a falta de reconhecimento que tinham para com ele e seus companheiros mortos há muito tempo.

— Kristine, minha querida!

Ela planejava se ausentar dali a 15 minutos. Não tinha escolhido o momento do dia de forma aleatória. Era mudança de turno e poderia se esgueirar, sem ser vista, até o depósito onde ficava o armário de remédios. Ela se perguntou se deveria trancar a porta. Então, ocorreu-lhe que seria mais difícil explicar a porta trancada do que a porta aberta. Embora não devesse estar ali, poderia inventar uma explicação plausível. Kristine pegou as chaves do armário de remédios. O chaveiro sacudia muito, por isso ela o segurou e prendeu a respiração. Que idiotice! Com o burburinho no corredor, seria pouco provável que alguém a ouvisse. E o que ela ia fazer não demoraria muito também.

As cartelas de Nozinan estavam bem à sua frente, grandes quantidades. Ela se perguntou se deveria escolher entre injeção ou pílula. Sem mais pensar, pegou o que viu primeiro. Não precisava de seringas; tinha algumas em casa. Rapidamente trancou o armário. Prendeu a respiração por 30 segundos, guardou o medicamento no bolso e saiu calmamente. Havia apenas dois pacientes no corredor, mas eles estavam tão embriagados que mal sabiam qual era o dia da semana.

Na saída, ela garantiu a seu chefe, mais uma vez, que traria um atestado médico e que, obviamente, retornaria ao trabalho. Só alguns dias. Ele a deixou ir com um comentário sarcástico em voz baixa, que ela pôde ouvir claramente.

Tinha dado tudo certo. A próxima parte era a mais difícil. Não parecia que estava afastada por tanto tempo. Alguns acenavam com a cabeça e sorriam por cima de seus livros, outros olhavam para ela e voltavam para os estudos. Então, ela viu Terje. Ele estava sentado na sala com outros cinco colegas, e ela recebeu uma recepção bastante acolhedora do grupo. Especialmente de Terje. Quatro anos mais novo que ela, era um aluno do primeiro ano. Desde o início do semestre, tinha se apegado fortemente a ela. Já havia se declarado de várias maneiras, sem se importar com a diferença de idade entre eles ou o fato de ser oito centímetros mais baixo que ela. Ele era muito querido e ela quase sempre apreciava que a paquerasse.

– A persistência um dia vence.

Ele a ignorava gentilmente nas ocasiões em que ela, irritada, achava que já tinha aturado bastante e tentava colocá-lo no lugar dele.

Ela sentou em uma cadeira vaga.

– Céus, olhe o seu estado – comentou uma de suas amigas mais próximas. Deve ter ficado muito mal, dá para notar!

– Estou melhor agora.

Ela sorriu.

Os outros não pareciam muito convencidos.

– Eu realmente gostaria de comemorar o fato de estar em pé novamente.

– Um pequeno passeio na cidade. Amanhã. Quarta-feira à noite. Alguém quer ir?

Todos quiseram. Principalmente Terje. Esse era o ponto.

Tinha que acontecer na quarta-feira. Seria o melhor dia. Na sexta-feira, ele correria muitos riscos. O homem poderia estar planejando um fim de semana no interior. Ou uma festa em casa, quem sabe. Além do mais, as pessoas ficam acordadas até tarde na sexta-feira. Ele precisava de paz e tranquilidade, por isso deveria acontecer na quarta-feira à noite. Poderia deixar para quinta-feira, mas não teria paciência para esperar. Tinha que ser na quarta-feira. Além disso, havia outro ponto importante sobre esse dia.

Ele havia dito à filha que seria na quinta-feira. Agora não precisaria esperar. Na manhã de quinta-feira, ele iria acordá-la com a notícia de que tudo estava acabado.

O armário estava trancado de acordo com o regulamento. Agora isso era desnecessário, pois Kristine tinha crescido e não tocava em seus pertences. Na verdade, ela mal entrava no quarto dele desde que estava no Ensino Médio.

Três fardas da Home Guard, uma organização de defesa iniciada durante a Segunda Guerra, estavam penduradas em fila, com três estrelas nas dragonas. Ele era capitão. Até a farda verde de campo estava impecável. Havia dois pares de coturnos alinhados no chão sob as roupas. Pairava um cheiro suave de graxa de sapato e naftalina.

No fundo, atrás das vestes, um pequeno estojo de aço. Ele se agachou e o puxou para a frente. Em seguida, colocou o estojo sobre a mesa de cabeceira, sentou na cama e o abriu. A pistola tinha sido fabricada na Áustria. Glock. Munição 9 mm. Havia muita. Praticamente não usava sua arma, mas tinha duas caixas abertas de munição, da última prática de tiro. Para dizer a verdade, aquilo tinha sido roubado, mas a cúpula fez vista grossa. Era muito fácil, claro, desaparecerem caixas de munição que estavam debaixo do assento de um carro.

Com os dedos desajeitados, ele desmontou a arma, lubrificou-a e, em seguida, secou-a com um pano. Depois, colocou a pistola ao seu lado na cama, enrolou-a no pano de polimento, pegou cinco cartuchos de uma das caixas, colocou o restante dentro do estojo de aço, fechou-o, guardou o conjunto de volta no armário e trancou-o com a chave.

Parando momentaneamente, ele pensou onde guardar sua arma por enquanto. Finalmente, decidiu escondê-la embaixo da cama. A faxineira só viria na sexta-feira, até lá, a arma estaria em seu devido lugar.

Ele se despiu e entrou no banheiro do seu quarto. Levou algum tempo para encher a banheira; enquanto esperava, vestiu um roupão e foi preparar uma bebida forte, embora a tarde estivesse apenas no início, por assim dizer. Quando retornou, a espuma estava quase na borda da banheira e transbordou quando ele afundou na água escaldante.

Somente ontem ele realmente havia se dado conta de que o ato que pretendia realizar era um crime. Para dizer o mínimo. Tal pensamento o atingiu como uma martelada, por uma fração de segundo, mas ele logo tratou de desconsiderá-lo. Não era isso que o impediria. Agora ele tinha certeza de que estava prestes a se tornar um criminoso.

Nunca, nem por um instante, ocorreu a ele que poderia ir à polícia com a informação que tinha. Na verdade, ele estava furioso, pois aparentemente, eles eram incapazes de investigar tão bem quanto ele. Tudo tinha sido incrivelmente fácil. Levou apenas alguns dias. O que a polícia estava realmente fazendo? Nada? Eles o informaram de que fios de cabelo e sêmen haviam sido coletados para análise.

Mas o que eles fariam com os resultados já que não tinham registro para compará-los? Quando perguntou aquilo à investigadora, ela encolheu os ombros como forma de resignação, sem dar uma resposta.

A polícia teria feito alguma coisa, certamente, se ele a procurasse. Ele não tinha nenhuma dúvida sobre isso. Provavelmente o homem seria preso e submetido a testes. Com isso, eles seriam capazes de provar que era ele, e depois ele seria jogado na prisão. Durante um ano ou um ano e meio. Diminuindo a pena em um terço por bom comportamento. Significava que o homem passaria menos de um ano atrás das grades. Menos de um ano! Por ter arrasado sua filha. Tê-la destruído, humilhado e maculado.

Ir à polícia estava fora de cogitação. Eles teriam que continuar cuidando de seus casos, que eram mais que suficientes, se as manchetes dos jornais estiverem certas.

Naturalmente, ele poderia tentar fugir. Inventar um álibi. Mas não tinha pensado muito sobre isso. Além do mais, não estava interessado.

Finn Håverstad não estava preocupado em ter que se livrar da culpa pelo assassinato do homem que estuprou sua filha. Ele queria garantir que realizaria seu propósito em paz. Depois, passaria algumas horas com Kristine antes de se entregar à polícia e contar o que tinha feito. Ninguém o condenaria por isso. É claro que ele receberia uma punição por um tribunal de justiça, mas ninguém realmente o condenaria. Ele jamais se condenaria. Seus amigos certamente não fariam isso. E, quando não houvesse mais o que fazer, quando a situação ficasse crítica, Finn

Håverstad não dava a mínima para o que os outros fossem dizer. Matar era essencial para ele. Isso era justiça.

※

O homem a quem Finn Håverstad planejava assassinar tinha mudado de ideia. Um dia antes, ele estava muito determinado, muito decidido. Agora queria pular um sábado. Não importa que eles tivessem encontrado o corpo no jardim abandonado. Estava plenamente convencido de que ninguém ia lá havia muitos anos. Talvez por isso ela não tenha tomado o devido cuidado quanto à profundidade. Tinha muito a fazer. Maldição. Em contrapartida, era bom ser notícia nos jornais. Provavelmente essa fosse a razão de sua cegueira anterior. Agora, depois de muita reflexão, ele percebeu que as coisas estavam ficando perigosas.

Por um capricho do destino, estava sentado com um copo contendo exatamente a mesma marca do uísque que Håverstad, o dentista, tomava durante o banho. Haveria uma quebra de padrão. Isso era o que mais o aprazia. O que mais preocupava a polícia. Ele gostava particularmente da questão do sangue. Despertava interesse. Se não fosse por aquele detalhe, ele não teria conseguido tanta atenção. Sangue dos porcos! Em muçulmanos!

Entretanto, quando o corpo foi descoberto, o nível de complexidade ficara mais elevado. Agora, ele tinha que contar com o aumento dos recursos por parte da polícia. Essa não era sua intenção de forma alguma. O fato de eles terem encontrado um corpo acarretou uma perturbação.

※

A senhora era redonda como uma bola e muito desconfiada por natureza.

Depois de 40 anos administrando uma pensão, ninguém iria até lá e jogaria areia em seus olhos. Era verdade que eles sediariam os Jogos Olímpicos de inverno.

– Vamos nos livrar desses estrangeiros aí – ela resmungou para si mesma

Ela espalhava manteiga nas fatias grossas de pão o máximo que podia em direção às bordas.

Quanto mais grossa ela cortasse as fatias, mais satisfeitos os hóspedes ficariam. Assim, eles usariam menos recheio para o sanduíche. O pão era mais barato que embutidos e queijo. Matemática simples. Ela tinha calculado com satisfação que ela poderia economizar até 60 ou 70 coroas em uma única ceia. Dessa forma juntaria um bom dinheiro a longo-prazo.

– Nós vamos nos livrar desses estrangeiros na Olimpíada, ah, vamos, porque esses requerentes de asilo... estamos pior com eles – continuou amargurada.

Ninguém a ouvia, com exceção de um enorme gato malhado que havia subido no balcão da cozinha.

– Gatinho, gatinho, desça aqui!

Alguns pelos do gato tinham caído em uma das fatias de pão com manteiga, e ela os tirou com seus pequenos dedos rechonchudos.

Então, ela tomou uma decisão.

Enxugando as mãos no avental volumoso, longe de estar limpo, ela pegou um antigo telefone preto com seletor rotativo. Seus dedos eram tão gordos que ela não conseguia enfiá-los direito nos buracos, mas conseguiu discar o número da polícia. Ela tinha colado na lateral do telefone, caso precisasse.

– Alô? Aqui é a sra. Brøttum, da Guesthouse! Eu gostaria de denunciar uma imigrante ilegal!

A sra. Brøttum denunciou a imigrante a uma paciente senhora que assegurou a ela que o assunto seria investigado. Depois de dez minutos se queixando a respeito de os muçulmanos estarem invadindo o país, especialmente a área de Lillehammer, a atendente, já nem tão paciente, tratou de encerrar a conversa.

– Era a sra. Brøttum de novo – suspirou a policial fardada para sua colega no painel do comando central da delegacia Lillehammer enquanto jogava a nota no cesto de lixo.

Não muito longe da delegacia, outros dois policiais fardados desfrutavam de uma pausa para o jantar tardio. Três cachorros-quentes e uma grande porção de batatas fritas para cada um. Eles estavam sentados em um banco redondo de concreto, olhando de modo reprovador para uma mulher bonita, elegante, vestindo roupas antiquadas, que estava sentada na outra extremidade, próxima à rua consideravelmente movimentada. Ela comia o mesmo que eles, mas não tão bem. Nem tão rápido.

– Eu aposto que aquela mulher ali não é norueguesa – declarou um dos policiais com a boca cheia de comida. – Veja aquelas roupas!

– O cabelo dela é muito claro – o outro continuou, limpando a boca com a mão. – O cabelo dela é muito claro.

– Deve ser turca – o primeiro insistiu. – Ou iugoslava. Algumas delas são loiras, sabe?!

– Aquela ali não é estrangeira.

O outro homem não desistia. Nem o primeiro.

– Vamos apostar – ele desafiou. – Aposto três cachorros-quentes e uma porção de batatas fritas.

Pensando sobre isso, o outro homem olhou para a pequena figura.

Ela já tinha obviamente percebido que eles estavam interessados nela. Com isso, ela se levantou abruptamente e depressa jogou no lixo o que restava de sua comida.

– Tudo bem.

O outro foi adiante. Os dois ficaram de pé e se aproximaram da moça, que parecia estar em pânico.

– Eu acho que você está certo, caramba, Ulf – disse o cético. – Ela está com medo de nós.

– Olá – o primeiro gritou, seguro de sua vitória. – Pare um minuto!

A mulher com roupas estranhas parou de repente. Ela olhou para eles apavorada.

– Você não é daqui, é?

Ele era amistoso, de algum modo.

– Não, não sou daqui.

– De onde você é, então?

– Eu sou do Irã, requerente de asilo. Os papéis não estão comigo, mas onde eu moro.

– E onde é isso?

Claro que ela havia esquecido o nome do lugar. Além do mais, dificilmente ela conseguiria pronunciar Gudbrandsdalen Guesthouse, mesmo se tivesse todo tempo do mundo. Em vez disso, de forma imprecisa, apontou para a rua.

– Ali.

– Ali, sim, bem – um dos policiais repetiu, olhando para o colega. – Acho melhor nos acompanhar. Teremos que averiguar essa história.

Eles não notaram que a mulher tinha lágrimas nos olhos nem que ela estava trêmula. Não deram a mínima.

Quando a iraniana não apareceu para a ceia na Gudbrandsdalen Guesthouse, a sra. Brøttum concluiu que sua denúncia tinha sido apurada. Cantarolando alegremente, ela acrescentou um pedaço extra de pepino ao pão fatiado com manteiga e patê de fígado. Ela estava extremamente feliz.

Em uma cela da delegacia de Lillehammer, a iraniana se sentou enquanto aguardava a polícia checar sua identidade. Infelizmente fora trazida na hora da troca de turno. Os dois policiais, que tinham feito a aposta quanto à nacionalidade dela, só se preocupavam em ir para casa e ficar junto de suas esposas e filhos; assim, pediram ao seus substitutos para preencher o relatório. Eles juraram que o fariam.

No entanto, eles esqueceram. E a moça ficou sentada ali sem que ninguém soubesse onde ela estava.

QUARTA-FEIRA, 9 DE JUNHO

Estava chovendo canivetes. Sem contar os facões e os serrotes. Era como se a natureza estivesse despejando de uma só vez tudo o que havia retido nos últimos dois meses.

A água caía sobre a terra seca, que era totalmente incapaz de absorver a quantidade enorme de líquido, o que resultou em um atalho para o mar, pois a chuva transformou as ruas em leitos de rios. Åkebergveien se assemelhava ao rio

Aker inundado na primavera. Estava tudo alagado, e três policiais usando botas de borracha e capas de chuva observavam quando a água atingiria o nível em que simplesmente arrastaria os carros estacionados. O trânsito estava caótico em Oslo.

Mesmo os agricultores, que durante o longo período de seca haviam previsto, com o seu pessimismo habitual, as piores colheitas de suas vidas, como faziam todos os anos em que havia muita chuva, pouca chuva, pouco sol ou sol demais, achavam que precisava haver limites. Agora, a colheita estava realmente ameaçada. Aquilo era um desastre natural total.

Só os jovens ficaram contentes. Após a longa onda de calor, mesmo uma surpreendente tempestade repentina não poderia mudar o fato de que as temperaturas de verão vieram para ficar. O mercúrio nos termômetros ainda marcava 18° C. As crianças gritavam de alegria e brincavam na chuva, usando apenas calções de banho, apesar de suas mães, muito brabas, reprimirem-nas. Em vão. Esse foi o mais alegre, mais intenso e mais quente dia de chuva de que se podia lembrar.

Os anjos estão de luto por Kaldbakken, Hanne Wilhelmsen pensou ao olhar pela janela.

Era como estar sentado em um carro dentro de um lava-rápido. A chuva batia tão violentamente nas vidraças que tudo o que estava do lado de fora ficou completamente sem contorno. Havia apenas um nevoeiro cinza-claro. Ela encostou a cabeça no vidro frio, e uma mancha de orvalho se formou perto de sua boca.

Pelo interfone, todos receberam instruções para comparecer à sala de conferência. Ela olhou para o relógio. Haveria uma cerimônia memorial às oito horas. Ela odiava esse tipo de coisa. Mas foi.

O superintendente estava mais calado que o habitual, o que era bastante adequado. Vestia um paletó para a ocasião, a calça ainda estava molhada do joelho para baixo. Tudo parecia um pouco triste e, dessa forma, apropriado daquele ponto de vista. A umidade do ar tinha invadido a sala não ventilada. Ninguém estava seco, mas todos estavam aquecidos. E a maioria deles estava genuinamente pesarosa.

Kaldbakken dificilmente poderia ser definido como um homem popular. Ele era muito reservado, muito taciturno para isso. Mal-humorado, diriam alguns. Ele tinha, no entanto, sido um homem decente durante todos os anos que dedicou ao trabalho. Justo. Isso era muito mais do que poderia ser dito a respeito de vários outros chefes da delegacia. Portanto, quando alguns indivíduos enxugaram uma lágrima durante o discurso emocionado do superintendente, não foi aparência.

Hanne Wilhelmsen não derramou uma lágrima, mas estava triste. Ela e Kaldbakken se davam bem. Tinham opiniões diferentes sobre a maioria dos assuntos fora do grande edifício em que ganhavam a vida, mas, como regra, concordavam em todos os pontos referentes às investigações. Além disso, se está mais bem acompanhado do diabo que se conhece. Hanne não tinha ideia de quem seria o chefe de polícia. Na pior das hipóteses, acabariam com um indivíduo de outra seção. Mas provavelmente levaria alguns dias para que alguém fosse nomeado. O homem merece pelo menos ser enterrado antes que um sucessor ocupe a sala que já foi sua.

O superintendente terminou o discurso, e um silêncio estranho invadiu a reunião. As cadeiras arrastavam no chão, mas ninguém ia embora. Eles não sabiam se a sessão estava encerrada ou se o silêncio prolongado fazia parte do procedimento.

– Bem, o show tem que continuar – disse o superintendente, liberando-os.

A sala ficou vazia em menos de um minuto.

Hanne Wilhelmsen tinha colocado na cabeça que precisava encontrar a mulher iraniana do andar térreo. Ela estava preocupada porque a moça tinha desaparecido sem deixar rastro. Em sua mente, ela temia que a mulher já estivesse deitada em algum lugar com a garganta cortada, sob alguns palmos de terra. O homem que agia aos sábados poderia ter alterado seus hábitos. Em último caso, eles precisavam ficar de olho nela. A investigadora ficara indignada por ter sido tão superficial ao conversar com a estrangeira na última segunda-feira. Não parecia tão relevante na hora. E, claro, ela estava muito ocupada.

Agora estava confirmado que a mulher enterrada no jardim afastado tinha sido mesmo violentada. De ambas as formas, por assim dizer. Hanne Wilhelmsen estava sentada com o resultado da perícia em mãos. Eles ainda não tinham concluído a análise de DNA; isso levava muito tempo, mas identificaram sêmen tanto na vagina quanto no ânus.

Era preciso encontrar a mulher que morava no andar de baixo. Nesse meio-tempo, seu endereço estava sendo monitorado. Eles resolveram fazer uma nova sessão de perguntas com todos os vizinhos, apenas para averiguação. Quatro policiais receberam ordens para permanecer no prédio durante a maior parte do dia. Ela tinha assuntos demais para resolver no escritório.

E, fora da janela, o tempo ainda era úmido e cinza.

∎

Kristine Håverstad não estava certa de que conseguiria matar alguém que estivesse dormindo. Embora já tivesse tudo planejado, ela desejava ter uma arma mais eficiente que uma faca. Um revólver seria ideal.

Então ela poderia agredi-lo. Tomar o controle da situação, submetê-lo à mesma situação a que ele a havia submetido. Aquilo seria o melhor de tudo. Aquilo seria o mais justo. Ele rogaria a Deus para não morrer. Ela não teria pressa. Talvez o obrigasse a tirar a roupa, ficar totalmente nu e vulnerável diante dela enquanto ela teria tanto uma arma quanto roupas.

Seu pai tinha uma arma no quarto. Ela sabia disso, mas não tinha noção de como manejá-la. O que ela realmente sabia era o local mais efetivo e mortal para esfaquear alguém. Porém ela precisava de tempo. Ele tinha que estar em um sono profundo. Entre 3 e 5 horas da manhã, as pessoas dormem mais profundamente. Entre 3 e 5 horas, ela o pegaria.

Ela o mataria mesmo que ele estivesse dormindo. No entanto, estaria longe de ser da maneira como ela gostaria.

∎

A mulher iraniana estava sentada em uma cela em Lillehammer havia 14 horas. Recebera comida, como os demais detentos. Não tinha recebido mais nada. Não contestou nem disse uma palavra. Era assim que deveria ser.

Também não tinha dormido nada na noite anterior. Havia muito barulho e luzes demais. Além de tudo, estava apavorada. Não tinha se alimentado. Mas a incerteza e a ansiedade eram as mesmas.

Foi para um canto da cela, encostou os joelhos no queixo e permaneceu sentada sem mover um músculo durante horas.

∎

– Ela desapareceu sem deixar vestígios. Ninguém a ouviu, ninguém a viu. Parece que não vai para casa desde segunda-feira. Difícil dizer – declaram os vizinhos, pois era uma mulher muito reservada. Nunca se ouviu um som vindo do apartamento de acordo com a moradora em frente.

Erik Henriksen parecia uma raposa afogada. Uma pequena poça tinha se formado ao seu redor e se tornava mais larga a cada minuto. Ao se inclinar para a frente, sacudiu a cabeça vigorosamente.

– Ei, não precisa me deixar tão encharcada quanto você! – Hanne Wilhelmsen protestou.

– Você deveria ver como está o tempo – Erik falou com agitação. – É inacreditável! Está chovendo muito forte em muitos lugares!

Ele aplicou um leve golpe de caratê no próprio joelho e sorriu.

– É quase impossível dirigir um carro! Os motores afogam!

Ele não precisava contar a ela. Para Hanne Wilhelmsen, parecia que a água logo chegaria à sua janela no segundo andar. A polícia de trânsito em Åkebergveien havia desistido uma hora antes, e agora a rua estava bloqueada. Na verdade, as pessoas na delegacia a princípio fizeram piadas a respeito da intensidade da chuva, porém, já havia uma preocupação legitimada. Uma ambulância parou porque o motor ficou molhado demais na Thorvald Meyers gate. Eles estavam muito perto da Unidade de Pronto Atendimento, por isso o problema não foi maior; a paciente ficou apenas encharcada quando os paramédicos tiveram que levantar a maca entre eles e caminhar cerca de 200 metros até a sala de emergência, carregando a idosa com o fêmur quebrado.

Mas poderia haver ocorrências piores. Ninguém estava particularmente com medo de incêndios no momento, mas era assustador observar que a infraestrutura da cidade poderia ser inteiramente destruída.

Em duas áreas, o sistema de telecomunicações entrou em colapso depois que uma estação base foi inundada. Um gerador estava quase parando de funcionar no Ullevål Hospital.

– O que dizem os meteorologistas?

– Não sei – respondeu Erik, encostado na janela e olhando para fora. – Mas eu acho que não vai passar tão cedo.

O superintendente entrou quando Erik saiu. Ele tinha tirado o paletó, mas ainda se sentia desconfortável naquela calça, que claramente havia comprado muitos quilos antes. Ele segurou a calça na altura das coxas antes de se sentar.

– Não conseguiremos fazer nada até sábado, não é?

Foi mais a constatação de um fato que uma pergunta. Portanto, Hanne não achou necessário responder.

– O que você está fazendo? – dessa vez queria uma resposta.

– Mandei quatro homens para o prédio de Kristine Håverstad. Eles falarão com os vizinhos novamente. Uma entrevista mais completa dessa vez.

Ela olhou meio incomodada para a poça que Erik havia deixado.

– É constrangedor. Eu deveria ter sido mais meticulosa da primeira vez.

Aquilo era verdade. O superintendente, no entanto, sabia por que isso não tinha acontecido. Ele passou as mãos pelo rosto e fungou.

– Droga! Com essa mudança de tempo, todos acabaremos gripados. É tudo o que precisamos agora. Uma epidemia de gripe.

Inspirando e fungando novamente, ele percebeu que Hanne Wilhelmsen ainda parecia perturbada com a sua medíocre contribuição para o caso de estupro na semana anterior, quando eles ainda tinham tempo. Talvez o necessário para impedir o banho de sangue do último sábado.

– Bem, Hanne – ele disse gentilmente, aproximando sua cadeira à dela. – Houve um estupro. É terrível, mas foi um estupro como outro qualquer. O que você poderia ter feito? Com todo o resto de coisas que temos para fazer? Se a sua teoria de que a pessoa por trás dos massacres de sábado à noite é a mesma do estupro, e eu acho que é, já é algo que sabemos. Não sabíamos disso semana passada.

Ele respirou de forma profunda e barulhenta e espirrou fortemente.

– Sabe quantos agentes seriam necessários nesta seção se tivéssemos que investigar cada estupro no nível que deveríamos?

Hanne balançou a cabeça.

– Eu também não. Temos poucos funcionários. Estupro é um crime complicado. Não podemos desperdiçar muito tempo em coisas assim. Sinto muito por dizer isso.

Suas desculpas eram sinceras, e Hanne sabia disso. Entretanto, o superintendente não teria aquele posto se não fosse pelo caráter extremamente flexível e pragmático. Era difícil provar que houvera estupro. A polícia precisava provar que acontecera um crime. As coisas eram assim.

– Você fez algo além de conversar com os vizinhos?

– Estou esperando os resultados da perícia. Nada do que eles descobrirem poderá ser realmente usado. Porém, será bom ter uma prova caso o culpado seja encontrado. Algo que recaia sobre ele.

Um sorriso cheio de fadiga acompanhou a última frase.

– Além disso, estamos no encalço da mulher iraniana. Não estou gostando do desaparecimento dela. Não consigo achar uma razão para isso. Ou ela está com medo de alguma coisa, e eu gostaria de saber o que a deixa tão assustada. Ou de alguém. Talvez ela tenha encontrado suas irmãs asiáticas e esteja morando em algum lugar distante.

O superintendente bateu na madeira, na mesa.

– Bem, se ela ainda estiver no país e não tiver morrido...

Supersticioso, ele bateu na madeira novamente.

– ... ela irá aparecer. Mais cedo ou mais tarde.

– Vamos esperar, sinceramente, que seja mais cedo – disse Hanne Wilhelmsen.

– Por falar nisso, você sabe alguma coisa sobre a tempestade? Está começando a ficar um tanto sinistra, sabe?!

– Provavelmente vai passar durante a noite. Mas continuará chovendo forte, é o que dizem os meteorologistas. Só Deus sabe.

Ele se levantou com dificuldade.

– Mantenha-me informado. Estarei aqui a tarde toda.

– Eu também – Hanne Wilhelmsen respondeu.

– Mais uma coisa...

Ele se virou subitamente.

– O funeral será na segunda-feira. Você comparecerá?

– Sim; se estivermos vivos segunda-feira, sim.

•¦

O tempo continuou desanimador. Eles pretendiam começar pelo agitado centro de Aker Brygge e dali seguir o tour pelos bares. Não seria possível. Na verdade, havia motivos para desconfiar se Aker Brygge ainda existia.

– Que tempo maluco e legal! – Terje falou entusiasticamente. – Vamos nadar!

A sugestão não recebeu resposta. No entanto, apesar de o clima ter posto um fim aos planos deles, um grupo de estudantes na flor da idade não deixaria passar uma oportunidade de se divertir.

– Eu tenho uma proposta – falou Kristine, que, pelos que os outros viam, ainda estava abatida por causa da gripe.

– Tem muita bebida na minha casa. Estou na casa do meu pai por enquanto.

Ela rapidamente se corrigiu.

– Eu estava muito mal. Foi melhor eu ficar lá. Que tal irmos para a sua casa, Cathrine, eu vou buscar o vinho e o que mais tiver na geladeira. Quem sabe podemos fazer uma festinha sem ter hora para acabar. Meu pai achará ótimo.

Era uma ideia brilhante. Mais duas horas de aula e eles se encontrariam na casa de Cathrine.

•¦

Eram 19 horas, e a chuva já tinha dado uma trégua. A janela de Hanne não mais era uma superfície cinzenta sem contorno. Do lado de fora, ela conseguia identificar o telhado da garagem onde estavam os carros de patrulha e também a exposição de carros usados do outro lado da rua. A chuva distorcia levemente a imagem. Mas se poderia afirmar que o tempo estava bom.

Um por um, os policiais foram retornando, encharcados até os ossos, depois de falar com os vizinhos. Por último, chegou o estagiário, que tinha achado tudo excitante. Agora eles estavam sentados em suas respectivas salas, escrevendo seus relatórios.

— Nenhum de vocês irá para casa até todos terminarem — ela declarou enfaticamente quando eles se queixaram a respeito das horas extras não remuneradas.

— Maldita capataz — um deles ousou dizer depois ela saiu. — Ela será a nova chefe de polícia, então?

Eles escreveram e escreveram. Dois se aventuraram com os trabalhos finalizados e em sorriso esperançoso, apenas para serem expressamente rejeitados e mandados de volta. Finalmente um pacote com 24 folhas A4 foi colocado na mesa de Hanne Wilhelmsen. Agora dispensados, eles correram para a saída como estudantes no último dia de aula antes das férias de verão.

Eles ainda não tinham pista sobre o desaparecimento da iraniana. Isso realmente a preocupava. Mas já passava das 21 horas e ela estava muito cansada. Precisava ler aqueles relatórios atentamente antes de sair. Deveria haver algo neles.

— Difícil — disse ela para si mesma depois de algum tempo pensando.

Mesmo assim levou os relatórios por segurança. Poderia ler em casa. Antes de ir embora, garantiu que os operadores da central estavam cientes de que deveriam ligar para ela caso encontrassem algo sobre a mulher iraniana. Ou, mais precisamente, se eles encontrassem a mulher iraniana.

※

O clima parecia deixar a festa ainda mais quente. A chuva batia na vidraça como uma verdadeira noite de outono, e lá dentro estava calor e seco, com bebida à vontade. Dois dos rapazes tentavam fritar alguns bifes completamente congelados.

— Eu quero o meu malpassado — Torill gritou.

— Malpassado? — murmurou o rapaz que estava fritando. — Ela terá sorte se isso descongelar.

Finn Håverstad não demonstrou contentamento nem preocupação quando Kristine chegou em casa e, inesperadamente, declarou que ia para uma festa. Ela não parecia estar com um humor festivo. Contudo, ele deu permissão para que ela levasse uma das caixas de vinho. Eles mal se olharam. Quando ela saiu e o jovem que a acompanhava fez uma reverência, seguindo-a na sequência, ele sentiu uma espécie de alívio por ela estar fora de casa. Se tivesse sorte, ela ficaria fora a noite toda. É o que aparentava pela quantidade de vinho que levaram.

Ele tinha outras coisas para fazer. Outras coisas com que se preocupar.

Kristine se sentou isoladamente, o que era muito difícil, já que Terje a observava como um falcão. Assim que ela tomava alguns goles, ele estava ali, pronto para encher a taça dela novamente. No final, ela mudou de lugar, sentou-se perto de um vaso de yucca. Claro que Terje se mudou também. Não importava. Pelo contrário.

A festa prosseguia como todas as outras festas estudantis. Eles bebiam e gritavam, atacaram o filé que estava queimado por fora e congelado por dentro. Comeram batatas assadas e fizeram ponche durante a noite toda. Temiam os exames e estavam ansiosos para o verão chegar. Planejaram viagens de trem para o curto prazo, e doutorados e cirurgias cerebrais para o longo prazo.

Quando o relógio da igreja, que ficava do outro lado da rua, soou 12 notas acústicas, eles estavam muito bêbados, exceto Kristine Håverstad. Ela tinha realizado a façanha de ficar sentada a noite toda sem beber mais do que uma taça. As folhas da yucca, por outro lado, já estavam começando a ficar caídas.

※

Fazia quase 16 horas que a mulher iraniana tinha sido presa preventivamente pelos dois policiais em Lillehammer após uma aposta. Ninguém tinha falado com ela ainda. Ela não abria a boca para protestar contra o tratamento que estava recebendo. Permanecia sentada, imóvel, amedrontada e terrivelmente cansada, no canto afastado da cela, com os joelhos encostados no queixo. A comida seguia intocada na bandeja na outra ponta da cela. Ela estava certa de que iria morrer.

Assim, ela fechou os olhos e agradeceu a Alá por todo o tempo que passou sem ninguém aparecer para levá-la.

O supervisor do turno naquela noite era um camarada trabalhador de Gausdal de 32 anos que tinha uma carreira brilhante na polícia e na promotoria. Ele cursava direito em meio período para progredir normalmente nos estudos, apesar de trabalhar em período integral na polícia. Fora isso, tinha mulher e dois filhos e havia construído uma casa recentemente. Um homem como ele não dorme em serviço.

Mas era tentador. Ele bocejava. O tempo louco resultou em uma pilha de trabalho para o serviço policial, o que não era normal para seu distrito. Mas, quando as pessoas ficam em apuros, elas chamam a polícia. Ele havia direcionado suas tropas para atender todas as partes, de porões inundados a cidadãos presos em carros com água até os trincos. A chuva havia dado uma trégua, e a cidade parecia estar finalmente calma. Mas ele não deveria cochilar.

Seu uniforme estava começando a ficar um pouco apertado. Sua esposa chamava isso de camada de conforto extra. Ela poderia estar certa. Era muito rica. Bom emprego, família linda, financeiramente segura e parentes agradáveis. Era mais do que um homem de Gausdal poderia sonhar. Sorrindo, ele foi fazer uma ronda pelas celas.

– Você está aqui de novo, Reidar – ele cumprimentou um velho desdentado, cuja contagem de álcool o sangue era de 4.0. O prisioneiro se levantou cambaleante, balançando com prazer ao vê-lo novamente.

– Mas é você, Frogner, é você mesmo?

Então, ele caiu.

Frogner riu.

– Eu acho que você deveria se deitar de novo, Reidar. Vai estar melhor pela manhã, você vai ver.

Ele conhecia quase todos. Nem todos acordavam. Em tais casos, ele entrava na cela e sacudia-os, forçando-os a abrir ao menos um dos olhos para se certificar de que ainda estivessem vivos. De fato, estavam. Quando ele chegou à última cela, ficou espantado.

A mulher estava sentada, encolhida no canto mais distante. Não dormia, embora mantivesse os olhos fechados. Ela os apertava com força e, mesmo das grades, na porta, ele podia ver que suas pálpebras tremiam.

Movendo a tranca lentamente, ele abriu a pesada porta de metal. A mulher não reagiu, apenas manteve os olhos fechados ainda com mais força.

Knut Frogner tinha crescido em uma fazenda. Ele já tinha visto animais assustados antes. Além do mais, tinha dois filhos e bom senso. Ele ficou em pé à porta.

– Olá – ele cumprimentou em voz baixa.

Ainda nenhuma reação.

Ele se agachou para parecer menor.

– Está tudo bem.

Ela abriu os olhos devagar. Eram azul-escuros.

– Quem é você?

Talvez ela não falasse norueguês. Havia algo de estrangeiro nela, apesar dos olhos.

– Quem é você? – ele repetiu com o inglês que havia aprendido na escola em Gausdal.

Não facilitou. A mulher não respondeu e fechou os olhos de novo. Ele se aproximou dela com passos curtos e lentos e acocorou mais vez. Ele colocou a mão no joelho dela, e ela ficou petrificada. Mas pelo menos abriu os olhos.

– Quem é você? – repetiu.

Os papéis que havia lido não tinham nenhum relato sobre estrangeiros presos. Na verdade, não havia relato nenhum a respeito de mulheres presas. Há quanto tempo aquela moça estaria sentada ali?

Uma coisa ele entendeu. Não adiantava tentar conversar com ela em tais condições. Com calma e firmeza, ele levantou a mulher. Ela permaneceu sentada na mesma posição por muito tempo, pois uma expressão de dor tomou conta de seu semblante quando permitiu que ele a erguesse. Ela não tinha cheiro de álcool. Ela não podia ter sido presa por estar bêbada e causando confusão. Mas, a julgar pelas roupas, ela era de Farawaystan.

Segurando-a pela mão, ele a tirou da cela. Quando chegaram à sala administrativa, ele mandou os três policiais exaustos se aprumarem e desligou o vídeo ao qual eles assistiam. Em seguida, ele acomodou a mulher em um assento desconfortável.

– Eu realmente preciso saber seu nome – declarou ele, tentando parecer o mais amistoso possível, mesmo vestindo uma farda.

Ela balbuciou um nome. Sua voz estava fraca, e ele não conseguiu entender o que ela falou.

– O quê? – ele falou, inclinando a cabeça e levando uma das mãos à orelha.

Aquilo soava bastante internacional.

Ela repetiu o nome mais claramente dessa vez. Não ajudou, ele não conseguiu entender nada.

Ele procurou algo em que pudesse escrever. Ele alcançou um papel impermeável que estava na ponta da mesa com um resto de sanduíche de queijo sobre ele. Em seguida, pegou o papel, e o pedaço de pão caiu no chão. Então, ele apalpou o bolso da camisa e tirou uma caneta de lá. Os dois objetos foram colocados na frente dela. Devagar e apreensivamente, ela escreveu seu nome ou algo que se assemelhava a um nome, no papel.

– Você não fala norueguês mesmo?

Ela concordou com a cabeça.

– Há quanto tempo você está aqui?

– Eu não sei.

Essas foram as primeiras palavras que ela falou em quase 36 horas. O policial balbuciou alguma coisa e depois moveu céus e terra para descobrir quem era aquela mulher.

Finn Håverstad não tinha muito que fazer.

Pouco antes, as condições meteorológicas extremas pareciam ser um impedimento inesperado. Agora, seriam uma bênção. Todo mundo estava dentro de casa. O estuprador, também. Håverstad chegou às 23 horas e podia ver tanto movimento quanto luzes no sobrado em Bærum. Ao ver aquilo, ele sentiu uma mistura de alívio sincero e ansiedade desconcertante. No fundo, ele tinha alimentado a esperança de que o homem tivesse saído ou, talvez, tivesse visitantes. Hóspedes. Assim, ele seria forçado a adiar suas ações. Por um tempo.

Mas o alívio predominava.

A chuva continuava a cair de forma constante, embora não tão intensa quanto antes. Era tentador permanecer sentado no carro. No entanto, ele tinha medo de ser visto. Além disso, os últimos acontecimentos haviam lhe ensinado que não era muito inteligente deixar seu carro estacionado ao lado da cena de um crime. A bem da verdade, ele não planejava esconder seu crime; no entanto, gostaria de ter um tempo, um tempo para colocar a cabeça no lugar depois. Algumas horas, um dia ou dois. Talvez uma semana. Ele não sabia ainda, mas ele queria ter a oportunidade de decidir por si mesmo.

Ele, portanto, se contentou em parar por alguns minutos com o motor ligado, o suficiente para garantir que o estuprador estivesse em casa. Então, deixou o carro passar por dois redutores de velocidade até virar uma esquina. Um prédio, com quatro andares de altura e 100 metros de comprimento, estava situado à esquerda. Os carros das esposas, para os quais não havia espaço no estacionamento do condomínio, estavam em um enorme estacionamento externo. Ele deixou seu BMW lá, entre um velho Honda e um Corsa novo. Parecia que o automóvel apreciou a companhia.

A Glock estava pronta para ser usada. Ele a guardou na cintura, mais pela falta de um lugar melhor do que pela praticidade. Não era confortável, mas, pelo menos, ela ficaria seca.

Ele recuou alguns metros. No final da rua que conduzia à casa do culpado, chegou a um impasse. Transversalmente, a partir de uma varanda existente nas casas, podia observar uma espécie de quintal com vários brinquedos e alguns bancos. Não eram visíveis do outro lado, uma vez que a fileira composta por dez casas geminadas impedia essa visão. Do muro em frente ao pátio havia cerca de 20 ou 30 metros até chegar a um afloramento que ia ficando cada vez mais alto, o que provavelmente escurecia bastante o quintal, mesmo em dias melhores que aquele. Por um momento, Finn Håverstad ponderou se deveria mudar seus planos e tentar entrar por aquele lado. Era muito mais protegido, tanto no que dizia respeito à rua e quanto às casas geminadas mais abaixo. Por outro lado, um estranho na rua despertaria menos atenção. Talvez nem o percebessem.

Iria manter seu plano original. Vestiu o capuz da capa de chuva e tentou andar o mais normal possível em direção à quinta casa do condomínio. Ele permaneceu ali, de pé, por uma fração segundo. Agora era 0h30, ninguém à vista. A maioria das janelas estava escura. Ele se escondeu num matagal onde três coberturas se encontravam, estava a apenas oito metros da residência do estuprador.

Finn Håverstad ficou ali esperando.

❦

Não precisava pedir duas vezes a Terje. Ele provavelmente teria se voluntariado se não tivesse sido convidado. Estando muito feliz e bêbado, ele cambaleou para o táxi que Kristine finalmente tinha conseguido após esperar 40 minutos em uma fila irritante ao telefone. Ele poderia acompanhá-la até sua casa. No meio da noite. O que só poderia significar uma coisa, e a ansiedade o manteve acordado durante a maior parte do caminho. Porém, só durante a maior parte. Quando chegaram ao pátio em frente à casa onde Kristine cresceu, em Volvat, ela teve trabalho para acordar o rapaz. Na verdade, ela precisou da ajuda do taxista para carregá-lo até a porta de entrada. O taxista ficou muito brabo por ter que sair do táxi na chuva, principalmente porque o pátio era enorme. Praguejando, ela largou o rapaz na porta de entrada.

– Você não vai se divertir muito com ele hoje à noite – falou aborrecido.

Porém, o condutor ficou ligeiramente mais alegre quando Kristine deu 50 coroas a ele, mais do que o taxímetro marcava.

– Mas boa sorte de qualquer maneira – ele murmurou já com um sorriso.

A intenção dela não era deixá-lo tão bêbado. Levou quase cinco minutos para ela arrastar e carregar o rapaz por oito metros ou mais até o quarto. A dificuldade era ainda maior, claro, porque ela queria evitar que o pai acordasse.

A cama era estreita, mas ela já tinha levado meninos para lá antes. Terje lutava sua batalha pessoal, determinado a acordar para o que poderia ser o grande momento de sua vida. Mas, quando Kristine tirou as roupas dele e deitou-o confortavelmente na linda cama, toda a esperança tinha se perdido. Ele roncava. Ele não deu a mínima quando ela puxou a colcha debaixo dele, e ele rolou por cima da coberta, ficando convenientemente com a parte de trás do corpo exposta, pronta para o golpe. Ela tinha preparado a injeção mais cedo e escondido a seringa debaixo da cama. Como ele estava mais grogue do que ela havia imaginado, para dizer o mínimo, ela injetou alguns mililitros ao pressionar o êmbolo. Noventa seriam o suficiente. Noventa mililitros de Nozinan.

No centro da Cruz Azul, eles usavam até 300 para dar aos bêbados mais rabugentos algumas horas merecidas de sono cada vez que caíam na bebedeira por dias, mal lembrando os próprios nomes. Mas Terje estava longe de ser um alcoólatra, embora, no momento, ele devesse ter bem mais de 2% de etanol por mililitro em suas veias. Além disso, estava tão longe que ela duvidava que tudo aquilo fosse necessário para assegurar que ele ficaria a noite inteira apagado. A dúvida não durou muito tempo. Ela cravou resolutamente a seringa na nádega esquerda do garoto, que não esboçou reação. Depois, injetou o conteúdo lentamente para dentro do músculo. Quando o êmbolo atingiu a base, ela removeu a agulha cuidadosamente e apertou um chumaço de algodão com firmeza sobre o local da picada durante alguns minutos. Então, se arrumou meticulosamente. O plano fora bem-sucedido. Quando Terje recuperasse a consciência na manhã seguinte, com ela ao lado, ele teria uma ressaca horrível, mas não seria capaz de contradizê-la no momento em que ela agradecesse a ele por uma noite maravilhosa.

Um menino no ápice da juventude, com menos experiência do que admitiria, iria pensar um pouco, considerar profundamente e, em seguida, inventaria uma excelente história com o ego inflado sobre quão maravilhoso aquilo tinha sido.

Kristine Håverstad tinha arranjado seu desajeitado álibi. Suas roupas estavam ensopadas, e ela estremeceu ao vesti-las novamente. Seu carro molhado estava parado no canto mais afastado do pátio, suficientemente distante da casa para não acordar ninguém. Como agradecimento por ela não ter se preocupado em guardá-lo na garagem no dia anterior, ele se recusou a dar a partida.

Ela não conseguia ligar o carro.

Hanne Wilhelmsen tentava dormir. Era difícil. Embora a tempestade tivesse diminuído um pouco, As gotas de chuva batiam na janela do quarto e a chaminé uivava a cada violenta rajada de vento. Além do mais, ela tinha muita coisa na cabeça.

Tudo era desanimador. Estava tão cansada que era impossível se concentrar. Os relatórios estavam sobre a mesa da sala de estar, metade já tinha sido examinada. Mesmo assim ela não conseguia pegar no sono. Mudava de posição a cada minuto na esperança de encontrar uma que fosse confortável, permitindo que seus músculos relaxassem e seu cérebro parasse de girar. Cecilie resmungava, irritada, cada vez que ela se virava na cama.

Finalmente, ela desistiu. Depois de muitas tentativas, seria melhor se uma delas conseguisse dormir. Cuidadosa e quase silenciosamente, ela se levantou da cama, tirou o roupão cor-de-rosa do gancho ao lado da porta e foi para a sala. Então, ela se acomodou em uma cadeira e começou a ler os relatórios mais uma vez.

Três policiais tinham sido relativamente breves, linguagem concisa, esforçando-se para manter precisão, o que muitas vezes resultava em qualquer coisa, o que a deixava muito irritada. O estagiário, por outro lado, aparentemente tinha maiores ambições literárias. Ele encheu sua composição de metáforas e frases longas, escrevendo aqui, ali e ao redor. Hanne riu. O garoto sabia mesmo escrever: até a ortografia tinha apenas pequenos erros, mas ainda era do tipo policial.

Sim, de fato. O menino tinha talento. Ele descobriu que a família que morava acima da vítima tinha um vizinho em frente, que se sentava calmamente à janela, como se estivesse dormindo. O estagiário, decepcionado por ninguém ter nada de valor para contribuir com a investigação policial, decidiu atravessar a rua. Ele visitou um estranho excêntrico que tinha o hábito de observar tudo o que acontecia na pequena rua. O homem, cuja idade era impossível estimar, tinha sido bastante hostil, mas também aparentava sentir orgulho de seus muitos arquivos sobre isso e aquilo. Além do mais, ele havia confirmado que um homem chamado Håverstad tinha estado lá um pouco antes.

Hanne Wilhelmsen estava mais desperta agora. Ela girou a cabeça vigorosamente algumas vezes, tentando fazer com que mais sangue chegasse ao seu cérebro cansado e decidiu preparar um café. Também deveria parar naquela noite em particular, pois sono e repouso eram necessários. Ela leu o restante da primeira página. Depois disso, não precisava mais de café, ela estava bem acordada.

O telefone tocou. O telefone de Hanne. Ela levou três passos para chegar ao corredor, esperando que pudesse atender antes que Cecilie acordasse.

– Wilhelmsen – ela respondeu suavemente, tentando arrastar o fio com ela até a sala, produzindo um barulho sobre o chão.

– Alô? – ela tentou de novo, quase sussurrando.

– Aqui é Villarsen. Operador de comunicação da central. Acabamos de receber um relatório de Lillehammer. Eles encontraram a iraniana que estávamos procurando.

– Busque-a – ordenou Hanne Wilhelmsen bruscamente. – Imediatamente.

– Eles terão uma condução para Oslo amanhã cedo. A mulher estará nela.

– Não – redarguiu Hanne Wilhelmsen. – Ela tem que vir agora. De uma vez. Arrume outro transporte. Um helicóptero, se for preciso. Tanto faz. Eu estarei na delegacia em dez minutos.

– Você falava sério ao pedir um helicóptero?

– Eu nunca falei tão sério em toda a minha vida. Peça ao promotor de plantão e diga que é uma questão de vida ou morte. Peça ao comissário para resolver essa questão. Eu preciso falar com essa mulher.

Finalmente algo importante havia acontecido no prédio deteriorado da Grønlandsleiret, 44. Apenas 20 minutos após o telefonema entre a central e a investigadora Hanne Wilhelmsen, a requerente de asilo iraniana estava sentada em um helicóptero saindo de Lillehammer em direção a Oslo.

Hanne temia que o tempo fosse um obstáculo para o transporte aéreo, mas ela não sabia muito sobre helicópteros. Agora que a chuva tinha diminuído, provavelmente não haveria muito problema. Extrapolar um orçamento estourado era algo a ser discutido mais tarde.

O tempo de espera tinha que ser bem aproveitado. A iraniana deveria chegar em 45 minutos no mínimo. Enquanto isso, eles tinham que visitar o excêntrico do edifício da frente. Aquele com os números de placas de automóvel. Sete carros no dia 29 de maio que ele havia mostrado ao estagiário com uma dose de má vontade, mas também com orgulho. Felizmente o policial inexperiente tinha considerado as informações a respeito das placas; contudo, não tomou nota sobre elas. Apesar de já passar de 1 hora da manhã, Hanne Wilhelmsen estava determinada a pressionar *E.* a contribuir com a sociedade.

Acabou sendo mais fácil falar do que fazer. Agora ela estava sentada no painel de comando da central, a sala que ficava no meio da delegacia de polícia. O ambiente estava repleto de chiados e mensagens de rádio transmitidas constantemente pelas viaturas de plantão noturno na capital, de Fox e Bravo, Delta e Charlie, dependendo de quem fosse e no que estivesse trabalhando. Eles recebiam informações e instruções de policiais fardados que, de vez em quando, faziam uma ligação interna para um promotor sonolento a fim de pedir autorização para uma prisão ou arrombamento de uma porta. Hanne Wilhelmsen estava sentada no segundo banco das fileiras de assentos que havia ao longo do corredor. Ela rapidamente encontrou o endereço de Kristine Håverstad no enorme mapa de Oslo exibido na parede em frente. Wilhelmsen ficou olhando para ele durante vários minutos. Ela aguardava impacientemente e cheia de receios uma resposta do carro de polícia para o qual a tarefa tinha sido atribuída. Devido à tensão e à distração, ela quebrou três lápis que certamente não haviam cometido nenhum crime.

– Fox três-zero chamando Zero-um.

– Zero-um para Fox três-zero. O que aconteceu?

– Ele não vai nos deixar entrar.

– Não vai deixá-los entrar?

– Ou ele não está em casa ou não vai nos deixar entrar. Provavelmente o segundo, acreditamos. Devemos forçar a entrada?

Precisava haver limites. Apesar de ser extremamente importante, a fim de saber qual informação Finn Håverstad obtivera do rapaz tolo, não havia justificativa para sair arrombando. Ela achou melhor deixar essa porcaria para mais tarde. No entanto, não haveria promotor no mundo que desse aval para uma ilegalidade tão óbvia.

– Não – ela suspirou pacientemente. – Tente mais algumas vezes do mesmo modo. Importune-o. Mantenha seu dedo pressionado na campainha. Zero-um, desligando.

O carro mudou de ideia. Depois de resistir às tentativas enfurecidas de Kristine Håverstad de ligar o motor, repentina e inexplicavelmente, resolveu funcionar. Ela demorou quase meia hora para chegar ao seu destino.

Ela não correria o risco de ser vista. Já tinha decidido há dois dias que a ação teria que acontecer entre 2 e 3 horas da madrugada. Ainda havia um tempo. Nesse ínterim, era importante permanecer escondida.

Foi, talvez, um erro sair de casa tão cedo. Por outro lado, estava tão perto agora que, na pior das hipóteses, se o carro tivesse outro ataque insistente de retribuição, ela poderia usar as pernas. Não levaria mais do que dois ou três minutos para chegar até a casa com varanda pertencente ao homem que a estuprara.

A chuva estava fazendo bem a ela. Já havia pequenos riachos escorrendo por seu pescoço, por dentro da capa de chuva e também do suéter. Normalmente ela se sentiria incomodada, mas não naquele momento. Ela estava com frio, mas não tremia. Estava dormente, mas sentia uma paz nova e desconhecida fluindo por seu corpo, uma espécie de senso de controle completo e abrangente. Seus batimentos cardíacos estavam fortes e regulares, todavia não muito rápidos.

Diante dela estava um bosque cheio de árvores que se dividia em dois por causa do largo caminho que passava ali. Em uma clareira, no centro do pequeno espaço arborizado, havia um banco de madeira, onde se sentou. Sobre ela, o céu estava ribombando e furiosamente cuspia raios de luz no solo. O trovão produzia um estrondo poderoso, todo o bosque se iluminava por uma luz azul aterrorizante. O tempo chuvoso era uma bênção, pois mantinha todas as testemunhas dentro de casa. A tempestade, que agora devia estar diretamente sobre o local, tinha piorado. Aquilo manteria as pessoas acordadas. Mas não se podia fazer nada com relação ao tempo. Ela teria que arriscar. Dissipou o traço de mal-estar que se manifestou após o relâmpago e novamente se sentiu equilibrada e preparada para o que tinha em mente.

❧

O helicóptero sobrevoava como um Thor intimidador e estrondoso, apenas 15 metros acima do trecho de grama enlameado da arena esportiva Jordal Amfi. Oscilava muito e de maneira constante, de um lado para o outro, como um pêndulo preso por um cabo invisível a uma baixa nuvem negra. O monstro lentamente se aproximou do chão.

Um policial fardado abriu a porta e saiu antes de o helicóptero aterrissar completamente. Ele permaneceu agachado, esperando, enquanto as pás do rotor rangiam ameaçadoramente acima dele. Depois, uma pequena figura delgada em uma capa de chuva vermelha apareceu. Ela hesitou, imperceptivelmente, na porta do helicóptero, mas foi conduzida para fora rapidamente pelo policial impaciente, que a pegou pela mão, e juntos eles correram através das violentas rajadas de vento acompanhadas de lama.

Hanne Wilhelmsen estava com muita pressa, mas esperou o piloto do helicóptero. Ele finalmente chegou, estava pálido e abatido.

– Nunca deveria ter tentado isso – relatou ele, dando a Hanne a ideia de que a viagem não tinha sido tranquila.

E prosseguiu:

– Fomos atingidos por um raio – ele murmurou, sentado no banco do passageiro do carro de patrulha parado, porém com o motor ligado.

O policial e a testemunha iraniana estavam sentados em silêncio no banco traseiro. Ela não precisava dizer nada. Em exatos 90 segundos, a viatura da polícia entrou no pátio do Grønlandsleiret, 44, onde Hanne tinha previamente ordenado que os portões estivessem abertos para abraçá-los como boas-vindas.

O piloto e o policial fardado ficaram por conta própria. A requerente de asilo acompanhou Hanne até sua sala.

A investigadora se sentia como um biatleta a caminho do campo de tiro. Tinha muitas perguntas, mas sabia que precisava criar uma sensação de tranquilidade. Em um impulso, segurou a outra mão da mulher e a levou para cima como se ela fosse uma criança pequena. A mão da moça estava gelada e completamente mole.

Ela tem que falar. Ela simplesmente tem que falar.

Hanne Wilhelmsen rogava silenciosamente. Finn Håverstad poderia, óbvio, estar seguramente deitado em sua cama em Volvat. No entanto, ele tinha conseguido sete números de placas de carro para investigar. Isso fora há dois dias. Tempo mais que suficiente para um homem como aquele. A iraniana simplesmente tinha que falar.

A mulher permaneceu de pé, imóvel, sem fazer qualquer movimento para tirar a capa de chuva ou se sentar. Hanne disse a ela para fazer as duas coisas, mas não obteve resposta. Ela caminhou em direção à mulher lentamente, tentando fazer contato.

A investigadora Hanne Wilhelmsen era 25 centímetros mais alta que a mulher iraniana e dez anos mais velha. Além disso, era norueguesa. E, ainda por cima, tinha muita coisa para resolver. Sem pensar que o gesto poderia ser interpretado como humilhação, ela levou a mão ao rosto da mulher. Ela a tocou no queixo, não de maneira hostil, não de maneira rude, mas com firmeza, e levantou o rosto da iraniana para fazer contato visual.

– Ouça – ela começou em voz baixa, mas com uma intensidade que a mulher poderia provavelmente apreciar, apesar da língua estrangeira. – Eu sei que você está com medo de alguém ou de algo. Ele está incomodando você. Só Deus sabe o que ele fez. Posso garantir uma coisa a você. Ele será punido.

A mulher nem tentou se soltar. Ela permaneceu ali com o rosto levantado e um olhar tão distante que era impossível presumir qualquer coisa. Os braços estavam pendurados com indiferença ao longo do corpo, e a capa vermelha pingava de modo intermitente no chão.

– Você deve estar morta de cansaço. Eu também estou.

Ela não soltou o rosto da requerente de asilo.

– Posso assegurar mais uma coisa. Não faz diferença...

Nesse momento, ela tirou a mão do rosto da mulher. E passou a mesma mão nos olhos, sentindo uma vontade incontrolável de chorar, não porque estivesse triste, mas porque estava exausta e convencida de que era tarde demais. E porque agora ela iria dizer algo que jamais havia dito, algo que tinha se abatido sobre todos eles como uma possibilidade opressiva, desde que haviam descoberto a conexão com os sangrentos números de registro de imigração, sem que ninguém tivesse expressado o pensamento em voz alta.

– Mesmo que esse homem seja um policial, você não deve temer. Eu juro a você, não há razão para ter medo.

Era tarde da noite, e Hanne Wilhelmsen era tudo o que ela tinha. Ela estava cansada e faminta. O medo havia se instalado há tanto tempo dentro dela que a obrigou a fazer uma escolha. Foi como se tivesse acordado de repente. Ela olhou para a capa de chuva molhada e para poça no chão. Ela olhou ao redor da sala surpresa, como se se perguntasse onde estava. Então, ela tirou a capa de chuva e sentou-se delicadamente na ponta da cadeira.

– Ele disse que eu tinha que dormir com ele. Ou eu não receberia autorização para permanecer na Noruega.

– Quem? – Hanne Wilhelmsen perguntou em voz baixa.

– É muito difícil, eu não conheço ninguém...

– Quem? – a investigadora repetiu.

O telefone tocou. Hanne atendeu-o furiosamente e esbravejou um "alô".

– Aqui é o Erik.

Não tinha saído um "não" da boca do policial desde que ela pedira a ele que fosse para lá. Uma noite com Hanne Wilhelmsen era uma noite com Hanne Wilhelmsen, independentemente das circunstâncias.

– Duas coisas. Temos os números dos carros. O cara se abriu finalmente. E a outra: não há ninguém na casa de Finn Håverstad. Pelo menos ninguém atende, não importa quanto você toque a campainha.

Era o que ela esperava. Finn Håverstad poderia ter seguido seu conselho e saído de férias com a filha, mas ela sabia muito bem que não era o caso.

– Consiga os nomes dos proprietários dos carros. Agora. Verifique se...

Ela parou de repente, olhando para uma enorme gota de chuva batendo na parte superior da vidraça. Quando ela alcançou a metade do caminho em direção ao parapeito, ela prosseguiu.

– Verifique os nomes dos funcionários que estão aqui na delegacia. Comece pelo Departamento de Imigração.

Erik Henriksen não hesitou, simplesmente desligou o telefone. Hanne Wilhelmsen fez o mesmo. Então, ela se virou para olhar para a testemunha, viu que a pequena mulher soluçava de maneira triste e silenciosa. Confortá-la estava aquém das possibilidades de Hanne Wilhelmsen. Certamente ela poderia dizer à mulher iraniana que ela realmente teve sorte, pois não estava em casa no dia 29 de maio. Claro que ela poderia informá-la de que, se ela não tivesse saído, provavelmente estaria deitada agora em algum lugar na área de Oslo, enterrada, com a garganta cortada.

Não muito confortador.

Hanne deixou isso para lá e falou apenas:

– Eu prometo a você várias coisas esta noite. Eu juro que você poderá permanecer aqui. Isso eu garanto, você me dizendo ou não quem é o homem. Mas me ajudaria muito...

– Ele se chama Frydenberg. Eu não sei o outro nome.

Hanne Wilhelmsen saiu correndo pela porta.

※

Já estava na hora de começar. Ela se sentia leve e revigorada, quase feliz. As luzes da janela do quinto sobrado tinham sido apagadas havia mais de uma hora. A tempestade tinha ido para o leste, talvez chegasse à Suécia antes do amanhecer.

※

Na porta de entrada, ele permanecia de pé, ouvindo desnecessariamente, mais para ter certeza. Então ele tirou um pé de cabra de um dos bolsos de sua enorme capa de chuva. Ela estava molhada, mas o cabo de borracha permitia uma boa e firme aderência. Levou apenas alguns segundos para arrombar a porta. *Surpreendentemente simples*, pensou, colocando a mão cautelosamente na porta, que se abriu.

Ele entrou na residência.

※

Ela passou os olhos na folha que ele havia lhe dado. Ali. Olaf Frydenberg. Dono de um Astra com o número da placa anotada pelo rapazinho estranho na curta rua onde Kristine Håverstad fora estuprada. Um sargento que trabalhava no Departamento de Imigração da delegacia de polícia de Oslo. Ele estava lá há quatro meses. Antes, havia prestado serviços nas delegacias de Asker e Bærum. Residência: Bærum.

– Droga! – falou Hanne Wilhelmsen. – Droga, droga. Bærum.

Ela olhou para Erik Henriksen descontroladamente por um segundo.

– Telefone para as delegacias de Asker e Bærum. Mande todos que puder para o endereço. Avise que precisam estar armados. Diga que estamos a caminho também. E peça autorização, pelo amor de Deus.

Sempre havia problemas quando a polícia cruzava o caminho de um policial. Entretanto, nada impediria Hanne Wilhelmsen de atravessar esse caminho em particular.

No quadro de crimes, estava um promotor desnorteado; era seu primeiro turno no posto. Por sorte, ele não suspeitou que estivesse sendo manipulado por um supervisor astuto com formação universitária e 20 anos de experiência na polícia. A Hanne foram concedidos uma viatura e um parceiro fardado. O supervisor garantiu, em voz baixa, que ele arranjaria permissão para o uso de armas quando eles chegassem ao destino.

– Sirenes?

Era o inspetor de polícia Audun Salomonsen que estava indagando. Ele, sem perguntar a ela, sentou-se no banco do motorista. Hanne gostou da ideia.

– Sim – ela respondeu sem pensar duas vezes. – Pelo menos por enquanto.

O quarto estava situado onde os quartos geralmente ficam. Não no mesmo andar que a sala. O corredor estava no mesmo piso que dois quartos, um banheiro e algo parecido com uma despensa. Uma escada de pinho levava até o primeiro andar, onde ele sabia que haveria a sala de estar e a cozinha.

Por alguma razão, tirou os sapatos. Um gesto de consideração, de muita consideração, ele pensou, ponderando se deveria vestir suas botas enlameadas novamente. Contudo, elas estavam fazendo barulho. Era melhor que ficassem onde estavam.

Ele teve problemas para fechar a porta da frente corretamente. Quando forçou a entrada, acabou quebrando o batente, por isso, a porta não encaixava. Cuidadosa e o mais silenciosamente possível, ele encostou a porta o máximo que pôde. Não sabia quanto tempo ficaria fechada com aquele vento.

As portas dos dois quartos estavam fechadas. Era inegavelmente imprescindível que ele escolhesse a porta certa. O homem poderia ter o sono leve.

Finn Håverstad imaginava qual dos quartos seria maior pelo modo como as portas estavam localizadas e por suas observações sobre a casa pelo lado externo. Ele escolhera corretamente.

Apenas um dos lados da grande cama de casal estava arrumado. A coberta fora dobrada três vezes, como um enorme travesseiro. Do outro lado, perto da porta, havia uma figura. Não era possível ver a pessoa, que havia puxado a colcha tão para cima que somente alguns tufos de cabelo permaneceram de fora, roçando a cabeceira da cama. Os fios eram loiros.

Fechando a porta silenciosamente, Finn Håverstad sacou a pistola da cintura, carregou a arma e atravessou o cômodo em direção ao homem adormecido.

Com movimentos exageradamente lentos, como um filme em câmera lenta, apontou o cano da arma para a cabeça sobre a cama. Então, empurrou a arma repentinamente, com firmeza, contra algo que deveria ser a testa. Teve o efeito desejado. O homem acordou e tentou se sentar.

– Deite-se! – Håverstad ordenou.

Se foi o comando ou o fato de ter visto a arma que o levou a se deitar novamente, não era possível afirmar. De qualquer forma, ele agora estava bem acordado.

– Que palhaçada é essa? – ele perguntou, tentando parecer irritado.

Não funcionou. Seu rosto estava consumido pelo medo. Os olhos não paravam de piscar e as narinas se mexiam ritmadamente por causa de sua respiração pesada e intensa.

– Não se mexa e me escute primeiro! – Håverstad falou tão calmamente que o surpreendeu. – Eu não vou machucá-lo. Pelo menos não muito. Nós só vamos conversar. Mas eu juro pela vida da minha filha, se você gritar, eu atiro.

O homem deitado na cama olhou para a arma. Depois, olhou para o invasor. Havia algo familiar naquele rosto, mas, ao mesmo tempo, ele estava totalmente certo de que nunca o tinha visto antes. Algo nos olhos.

– O que você quer? – ele se aventurou novamente.

– Eu quero falar com você. Levante-se. Ponha as mãos para o alto. Não as abaixe.

O homem tentou se levantar novamente. Foi difícil. A cama era baixa e ele havia recebido ordens para não usar suas mãos. Por fim, ele ficou em pé.

Finn Håverstad era dez centímetros mais alto que sua vítima. Isso dava ao pai de Kristine a vantagem de que precisava, agora que o estuprador estava de pé e parecia muito menos vulnerável do que deitado na cama. Ele vestia um pijama feito de uma espécie de algodão sem zíper ou botões. A parte superior era uma camisa com um decote em V. Parecia um agasalho esportivo. Estava desbotado e um pouco apertado, e o dentista recuou quando viu o tônus muscular delineado pelo fino material.

O pequeno reconhecimento resultou em uma distração momentânea, foi o suficiente. O estuprador se atirou sobre Håverstad, e os dois caíram contra a parede que estava a apenas um metro atrás deles. Foi útil. Håverstad teve o apoio de que precisava, suas costas ficaram firmemente apoiadas contra a parede, enquanto o outro homem perdeu o equilíbrio e caiu de joelhos. Rapidamente, ele tentou recuperar o equilíbrio, mas era tarde demais. A coronha da arma o atingiu em cima da orelha, e ele caiu no chão. A dor foi intensa, porém ele não perdeu a consciência. Håverstad aproveitou a oportunidade para jogar o homem ajoelhado de volta na cama, onde ficou deitado de barriga para cima no colchão de penas, com a mão na cabeça, contorcendo-se de dor. Håverstad ficou de frente para o estuprador, apontando a arma o tempo todo. Finn Håverstad pegou o travesseiro próximo à cabeceira da cama e, antes que o homem ferido tivesse tempo de pensar, seu agressor se apoiou no colchão e colocou o travesseiro sobre ele. O pai de Kristine, então, enterrou a arma no volume macio e puxou o gatilho.

O tiro fez um som curto e abafado. Os dois foram tomados pelo espanto, Håverstad, pelo que tinha feito e também pelo disparo ter sido tão atenuado, e o outro porque a dor fora tardia. Finalmente ele a sentiu.

Ele estava prestes a gritar, quando a visão do cano trêmulo à sua frente o fez cerrar os dentes. Ele levou o braço ao peito e gemeu. O sangue jorrava.

– Agora, talvez você entenda o que eu quero dizer – Håverstad sussurrou.

– Eu sou policial – o outro balbuciou.

Um policial? Um policial era uma máquina desprezível e destruidora de vidas? Håverstad se questionou por um momento sobre o que ele deveria fazer com essa informação. Então, deu de ombros. Não fazia diferença nenhuma. Nada fazia qualquer diferença. Ele se sentiu mais revigorado do que nunca.

– Levante-se – Håverstad ordenou novamente e, dessa vez, o policial não tentou fazer nada.

Ainda gemendo baixo, ele obedeceu à ordem de ir até o primeiro piso. Håverstad teve o cuidado de segui-lo à distância, temendo que o agressor de sua filha se virasse para atacá-lo.

A sala estava escura com as cortinas fechadas. Havia apenas uma sutil iluminação vinda da cozinha, pois a luz sobre o fogão estava acesa. Mesmo assim não dava para ver nada. Mantendo o policial ao lado da escada, Håverstad acendeu uma luz na parede da entrada da cozinha. Ele permaneceu de pé, avaliando o cômodo. Em seguida, apontou uma cadeira de vime para o outro homem.

A princípio o policial pensou que fosse para ele se sentar, mas foi corrigido.

– Fique de costas para o encosto da cadeira!

O policial estava com dificuldade de permanecer em pé. O sangue ainda escorria pelo braço. Ele estava pálido e, até mesmo sob a luz fraca, Håverstad podia ver o medo no rosto do sujeito e o suor em sua testa. O bem que isso lhe fez era indescritível.

– Estou sangrando demais – o policial reclamou.

– Você não está sangrando demais.

Era bastante complicado amarrar os braços e as pernas do homem firmemente com apenas uma mão. Ocasionalmente, ele foi forçado a usar ambas as mãos, sem perder o controle da pistola, que manteve apontada para o outro homem. Por sorte, ele havia previsto o problema e levara quatro pedaços de corda separados. Finalmente, o policial estava amarrado. Suas pernas estavam afastadas e cada uma foi amarrada a uma das pernas da cadeira. Seus braços estavam dobrados para trás e presos aos braços da cadeira, onde se curvavam para cima. A cadeira não era muito pesada, e o homem estava com problemas para manter o equilíbrio. Do modo como estava apoiado, parecia prestes a cair a todo instante.

Ao tirar uma enorme televisão de um pequeno armário de vidro com rodas, Håverstad arrancou os cabos e pôs o volume sobre o assento da cadeira de vime.

Ele entrou na cozinha e abriu um armário. Armário errado. Na terceira tentativa, encontrou o que estava procurando: uma grande faca comum de cozinha feita na Finlândia. Ele passou o polegar pelo fio e voltou para a sala.

O homem estava prostrado, parecendo uma marionete sem vida. As cordas o impediam de desabar, e ele estava em uma posição absurda, quase cômica: curvado, com os joelhos dobrados e os braços retorcidos para trás. Finn Håverstad arrastou uma cadeira para frente daquela cena e se sentou.

– Você lembra o que fez no dia 29 de maio?

O homem obviamente não tinha ideia.

– À noite? Há uma semana e meia?

Então, o policial se deu conta do que era familiar no sujeito. Os olhos. Aquela garota de Homansbyen.

Até o momento, o policial tinha ficado atemorizado. Ele temia o ferimento no braço e temia essa figura grotesca que aparentemente sentia um prazer perverso em atormentá-lo. Mas não achava que fosse morrer. Até aquele momento.

– Acalme-se! – Håverstad falou. – Eu ainda não vou matá-lo. Quero apenas conversar com você.

Em seguida, Finn Håverstad se levantou e segurou a parte de cima do pijama do policial. Ele passou a faca de cima para baixo, transformando o suéter em uma jaqueta, Uma jaqueta torta e esfarrapada. Ele segurou o elástico da calça e repetiu o processo. A calça caiu, mas parou na altura das coxas por causa das pernas afastadas. Mas o que importava, realmente, ficou à mostra, nu e indefeso.

Finn Håverstad se sentou novamente na cadeira.

– Agora vamos conversar – ele recomeçou com a pistola austríaca em uma mão e uma faca finlandesa na outra.

Embora originalmente tivesse a intenção de esperar mais meia hora, ela se levantou e seguiu para o seu destino. A espera era um pesadelo.

Na verdade, levou menos tempo do que ela pensava. Apenas um minuto com passos apressados, e ela chegou à rua que levava à casa do estuprador. Estava completamente deserta. Ao diminuir o ritmo, ela tremeu e foi em direção à casa.

– Desligue as sirenes.

Eles estavam fora de seu distrito. O inspetor Salomonsen era um motorista competente. Mesmo naquele momento, com desvios e cruzamentos a cada 20 metros, ele dirigia rápido e de forma regular, sem muita derrapagem ou desconforto.

Ela o tinha posto a par da situação e, pelo rádio, receberam sinal verde para o uso de armas.

Ela observou os números em destaque no painel. Logo seriam 2 horas.

– Não reduza – Hanne Wilhelmsen pediu.

– Você realmente tem alguma noção do que fez?

O policial, firmemente amarrado em sua sala, tinha uma vaga ideia. Ele tinha cometido um grande erro. Isso nunca deveria ter acontecido.

Calculara mal. Imensamente mal. Agora, só restava se conformar com o fato de que, até então, ninguém tinha sofrido uma vingança daquela proporção.

– Não na Noruega – balbuciou para si mesmo. – Não, na Noruega.

– Você acabou com a minha filha – o homem esbravejou, inclinando-se para a frente em seu assento. – Você arrasou e desgraçou a minha garotinha!

A ponta da faca roçou os órgãos genitais do estuprador, e ele gemeu alarmado.

– Agora você está com medo – Håverstad sussurrou, deixando a faca deslizar sadicamente sobre a virilha do estuprador. – Agora, talvez você esteja com tanto medo quanto minha filha estava, mas você não se importou com isso.

Nesse momento, o estuprador não conseguiu mais suportar. Inspirou profundamente e soltou um estridente grito agudo, que poderia ter despertado os mortos.

Saltando para a frente, Finn Håverstad impulsionou a faca, formando a trajetória de um enorme arco, a fim de ganhar velocidade e força. O golpe atingiu a genitália do estuprador, penetrou seus testículos, perfurou a musculatura da virilha e chegou até a cavidade abdominal, onde parou abruptamente; a lâmina rompeu uma artéria.

O grito parou tão logo teve início. O som foi interrompido, e tudo ficou estranhamente silencioso. O estuprador desmoronou completamente, a cadeira tombou, apesar do aparelho de televisão estar sobre o assento.

Alguém subia correndo as escadas. Finn Håverstad virou-se calmamente quando ouviu os passos, pensando em como os vizinhos tinham vindo tão depressa. Então, ele viu quem era.

Nenhum dos dois disse uma palavra. Kristine Håverstad correu em direção a ele, no que ele achava que seria um abraço. Ao estender os braços para sua filha, foi empurrado para o lado e ela agarrou seu braço e tirou a pistola de sua mão. A pistola caiu no chão e ela a pegou antes que ele conseguisse recuperar o equilíbrio.

Ele era muito maior do que ela e muito mais forte também. Mesmo assim, não foi capaz de impedir que um único tiro fosse disparado quando ele a segurou pelo braço, firme, mas não com muita força, já que ele não queria machucá-la. O tranco empurrou os dois para trás. O terror havia se instalado, ela largou a arma, e ele a soltou. Por um breve tempo, ficaram olhando um para o outro, até Kristine decidir segurar o cabo da faca que parecia sair das entranhas do estuprador como se fosse um segundo pênis bizarro e ereto. Quando ela retirou a faca, o sangue jorrou.

Hanne Wilhelmsen e Audun Salomonsen estavam surpresos por seus colegas de Asker e Bærum ainda não terem chegado à cena. A estrada, silenciosa, estava imersa na escuridão, nenhum sinal das aguardadas luzes azuis. O carro sacolejou ao parar em frente aos sobrados geminados. Enquanto corriam para a entrada, ouviram o som das sirenes da polícia, não deviam estar muito longe.

A porta tinha sido forçada. Estava escancarada. Eles haviam chegado tarde demais.

Quando a investigadora Hanne Wilhelmsen chegou ao topo da escada, deparou-se com uma visão que jamais esqueceria. Amarrado a uma cadeira com os braços retorcidos para trás, as pernas abertas e com o queixo apoiado no peito, estava seu colega Olaf Frydenberg. Ele parecia um sapo. Estava praticamente nu, com uma cachoeira de sangue escorrendo de sua região pubiana formando uma poça que aumentava rapidamente aos seus pés. Mesmo sem realizar qualquer exame, ela já sabia que ele estava morto.

No entanto, posicionou a arma à sua frente com ambas as mãos, apontando-a para um canto da sala e ordenando que as duas pessoas presentes se afastassem da vítima. Elas acataram imediatamente, de cabeça baixa, como filhos obedientes.

Não havia pulso. Ela abriu um dos olhos. Não havia reação no globo ocular. Ela rapidamente começou a afrouxar as cordas em torno dos pulsos e tornozelos.

– Vamos tentar a respiração artificial – ela disse obstinadamente a seu colega. – Pegue o equipamento de primeiros socorros.

– Eu fiz isso – Finn Håverstad a interrompeu, repentinamente, do canto da sala.

– Fui eu!

Kristine Håverstad parecia desesperada.

– Ele está mentindo! Fui eu!

Virando-se abruptamente, Hanne Wilhelmsen observou os dois mais de perto. Ela não sentia raiva. Nem mesmo resignação. Apenas uma imensa, profunda tristeza.

Os dois tinham a mesma expressão de quando estiveram em sua sala pela primeira vez. Uma fisionomia de impotência, de pesar, que mesmo agora era mais evidente naquele homem enorme do que em sua filha.

Kristine Håverstad ainda segurava a faca. Seu pai tinha a pistola.

– Larguem suas armas – ela pediu quase gentilmente.

– Ali!

Ela apontou para uma mesa de vidro sob a janela. Na sequência, ela e seu parceiro Salomonsen começaram o procedimento de ressuscitação, inutilmente.

QUINTA-FEIRA, 10 DE JUNHO

O calendário tinha sido acertado novamente. Por muito tempo. A baixa camada de nuvens, como era apropriada para aquela época do ano, pairava sobre o céu de Oslo, e a temperatura estava na casa dos 15° C, a média de junho. Tudo estava em seu devido lugar; os cidadãos se sentiram aliviados ao saber que os danos causados pela tempestade não foram tão grandes quanto o medo experimentado no dia anterior.

Hanne Wilhelmsen sentou na cantina da delegacia em Grøland. Mais pálida que todos, ela estava doente. Estava há duas noites sem dormir em quatro dias. Iria para casa em breve. O superintendente ordenara que ela ficasse afastada até segunda-feira. No mínimo. Além do mais, ele pediu a ela que se candidatasse ao posto de chefe de polícia, algo que ela definitivamente não faria. De modo algum, sob nenhuma circunstância, não naquele dia. Ela queria ir para casa.

Håkon Sand, por outro lado, parecia excepcionalmente feliz consigo mesmo. Estava sentado, sorrindo, imerso em seus pensamentos, mas despertou ao perceber que Hanne Wilhelmsen estava perto de ter um colapso físico, como ele nunca tinha visto antes.

A cantina estava situada no sexto andar e tinha uma vista fantástica. Ao longe, no Oslo Fjord, uma embarcação dinamarquesa se aproximava da costa, repleta de pensionistas e bagagens ilegalmente carregadas com salsichas dinamarquesas e bacon barato. O gramado fora do edifício curvo não estava lotado de pessoas, havia somente uma ou duas deitadas ali, olhando com expectativa para o céu, vendo se o sol retornaria logo.

– Tinha que haver uma primeira vez – declarou Hanne Wilhelmsen, esfregando os olhos. – Do modo como decepcionamos as pessoas, era realmente só uma questão de tempo até que alguém resolvesse acertar as contas com as próprias mãos. O pior de tudo é que...

Ela fez uma pausa e balançou a cabeça.

– O pior de tudo é que eu consigo compreendê-los.

Håkon Sand olhou mais de perto para ela. O cabelo não estava lavado. Seus olhos ainda eram azuis, mas o aro negro ao redor da íris parecia maior, como se estivesse engolindo as pupilas. Seu rosto parecia distorcido e seu lábio inferior tinha rachado bem no meio, onde uma linha estreita de sangue seco dividia a boca em duas.

Olhando com o canto dos olhos para a luz do sol radiante de junho, ela acompanhou a balsa dinamarquesa. Não tinha recebido respostas para todas suas perguntas. Se ao menos tivesse chegado à casa em Bærum alguns minutos antes. Cinco minutos. No máximo.

– Por exemplo, onde ele conseguiu todo aquele sangue?

Desinteressado, Håkon Sand deu de ombros.

– Estou preocupado com algo diferente, completamente diferente.

Ele pôs a questão de lado, olhando para ela com um semblante astuto e cheio de expectativa, esperando que a investigadora questionasse do que ele estava falando.

Hanne Wilhelmsen, no entanto, estava mergulhada em seus próprios pensamentos, e agora o barco dinamarquês enfrentava problemas com um navio de carga que insistia no seu direito de passagem na rota de navegação. Na verdade, ela não tinha ouvido o que ele tinha dito.

– Eles provavelmente escaparão dessa – acrescentou ele um pouco mais alto, com um toque de frustração pela falta de interesse da investigadora.

– É provável que não sejamos capazes de instaurar um processo contra eles!

Aquilo ajudou. Deixando a balsa dinamarquesa por conta própria, Hanne se virou para ele com os olhos cheios de ceticismo.

– O que você disse? Escapar dessa?

Kristine Håverstad e seu pai tiveram a prisão preventiva decretada. Eles haviam matado um homem. Nem tentaram alegar que não tinham nada a ver com aquilo. Eram persistentes. Além do mais, haviam sido presos em flagrante, somente cinco minutos após o ocorrido.

Obviamente não tinha como se livrar. Hanne bocejou.

Håkon Sand, que havia dormido profundamente durante oito horas na própria cama, portanto tinha tempo e energia de sobra para estudar o caso, além de tê-lo discutido com vários colegas nas primeiras horas da manhã, estava em plena forma.

– Cada um afirma que fez aquilo por conta própria – ele comentou, tomando um gole do café amargo da cantina. – Os dois assumem a culpa. Sozinhos. Eles negam com obstinação que tenham cometido o crime juntos. Pelo que sabemos até o momento, há muitos aspectos indicando que ao menos isso é verdadeiro.

E o promotor prosseguiu:

– Eles foram em seus próprios carros e estacionaram em lugares diferentes. Além disso, Kristine havia tentado construir um álibi.

Ele sorriu ao pensar no jovem rapaz, que fora trazido para interrogatório em um estado que Håkon esperava nunca experimentar. O estudante vomitou duas vezes na primeira meia hora de entrevista.

– Mas certamente isso não é um problema, Håkon! Tem como duvidar de que um deles tenha feito aquilo e o outro agido como cúmplice?

– Não, na verdade, não. Ambos têm histórias compatíveis com os fatos que temos. Cada um deles afirma que matou o homem e que o outro chegou imediatamente depois. Conforme suas declarações preliminares, as impressões digitais dos dois podem ser encontradas tanto na faca quanto na pistola. Ambos tinham motivo, ambos tiveram oportunidade. Ambos têm resíduos de pólvora na mão direita. Quem atirou no teto e quem atirou no braço do homem, as partes não entram em acordo. E assim, minha cara futura chefe...

Ela sorriu e não conseguiu reunir forças para corrigi-lo.

– E assim temos um problema clássico. A fim de ser declarado culpado, deve haver prova que não deixe sombra de dúvida de que o autor realmente tenha cometido o crime; 50% não é o suficiente! Engenhoso!

Abrindo os braços, ele caiu na gargalhada. As pessoas olharam para eles, e ele percebeu imediatamente sem ficar incomodado. Ao contrário, levantou-se e empurrou a cadeira contra a mesa. Ficou ali de pé, inclinado sobre a mesa, com as mãos apoiadas no encosto da cadeira.

– É muito cedo para tirar conclusões significativas. Há muitas perguntas por fazer ainda. Mas, se eu não me engano, a senhora de bronze na minha mesa vai se rachar de rir!

O promotor sorria de orelha a orelha.

– Só mais uma coisa.

Agora, ele olhava para o tampo da mesa de forma constrangida, e Hanne podia perceber um toque avermelhado em seu rosto.

– O nosso compromisso para o jantar de amanhã...

Ela havia esquecido completamente.

– Infelizmente, eu vou ter que cancelar.

O dia estava cheio de surpresas agradáveis.

– Está tudo bem – respondeu ela com rapidez. – Podemos remarcar.

Ele acenou com a cabeça, mas não saiu.

– Eu vou ser pai – ele revelou finalmente, corado ao redor das orelhas. – Eu vou ser pai no Natal! Karen e eu vamos comemorar no fim de semana. Vamos sair. Sinto...

– Não tem problema, Håkon! Tudo bem! Parabéns!

Ela colocou os braços em volta dele e permaneceu abraçada a ele por um longo tempo.

Que dia!

Quando ela retornou para a sala, tirou o telefone do gancho sem hesitar. Antes que tivesse a chance de reconsiderar, discou um número interno.

– Você está ocupado amanhã, Billy T.?

– Eu vou ficar com meus filhos neste fim de semana. Vou buscá-los lá pelas 17 horas. Por que você está perguntando?

– Será que você gostaria de levá-los para jantar na minha casa e...

Tudo deveria acontecer com moderação. Ela não teve coragem de dizer o nome dela. Ele a interrompeu.

– Eles têm 3, 3, 4 e 5 anos de idade – advertiu.

– Não tem problema. Chegue às 18 horas.

Então, ela telefonou para Cecilie no trabalho a fim de avisar que o cardápio teria que ser alterado. Serviriam espaguete. Com vários litros de refrigerante amarelo.

A emoção que ela sentiu ao desligar o telefone a surpreendeu mais do que tudo o que havia acontecido nas últimas dramáticas 24 horas.

Ela estava feliz!

IMPRESSÃO:

Pallotti
GRÁFICA EDITORA
IMAGEM DE QUALIDADE

Santa Maria - RS - Fone/Fax: (55) 3220.4500
www.pallotti.com.br